Fabio Geda

Im Meer schwimmen Krokodile

Eine wahre Geschichte

Aus dem Italienischen von
Christiane Burkhardt

cbj
ist der Kinder- und Jugendbuchverlag
in der Verlagsgruppe Random House

MIX
Papier aus verantwor-
tungsvollen Quellen
FSC® C014496
www.fsc.org

Verlagsgruppe Random House FSC® N001967
Das für dieses Buch verwendete FSC®-zertifizierte
Papier *München Super Extra* liefert Arctic Paper
Mochenwangen GmbH.

2. Auflage
Erstmals als cbj Taschenbuch April 2013
Gesetzt nach den Regeln der Rechtschreibreform
© 2010 by Baldini Castoldi Dalai editore
Die Originalausgabe erschien 2010 unter dem Titel
»Nel mare ci sono i coccodrilli. Storia vera die
Enaiatollah Akbari« bei Baldini Castoldi
Dalai editore, Mailand
© 2011 für die deutschsprachige Ausgabe bei
Albrecht Knaus Verlag, München,
in der Verlagsgruppe Random House GmbH
Alle Rechte dieser Ausgabe vorbehalten
durch cbj Verlag, München
Übersetzung: Christiane Burkhardt
Umschlagbild: © plainpicture / Jasmin Sander
Umschlaggestaltung: init. Büro für Gestaltung,
Bielefeld
kg · Herstellung: ReD
Satz: Uhl + Massopust, Aalen
Druck und Bindung: GGP Media GmbH, Pößneck
ISBN 978-3-570-40201-6
Printed in Germany

www.cbj-verlag.de

»Sag nicht, die Chilischote ist klein.
Probier lieber, wie scharf sie ist.«

Afghanistan

Ich habe einfach nicht damit gerechnet, dass sie wirklich weggeht.

Wenn man als Zehnjähriger abends einschläft, an einem ganz normalen Abend, der auch nicht dunkler, sternenklarer, stiller oder übel riechender ist als andere; an einem Abend, an dem dieselben Muezzin von den Minaretten zum Gebet rufen wie immer; wenn man als Zehnjähriger – und das ist nur so dahingesagt, weil ich gar nicht genau weiß, wann ich geboren bin, denn in der Provinz Ghazni gibt es kein Geburtenregister – also, wenn man als Zehnjähriger einschläft, und deine Mutter drückt deinen Kopf vor dem Schlafengehen länger an ihre Brust als sonst und sagt:

Drei Dinge darfst du nie im Leben tun, Enaiat *jan*, niemals, versprich es mir.

Erstens: Drogen nehmen. Manche duften und schmecken gut, und wenn sie dir vorgaukeln, mit ihnen ginge es dir besser als ohne, hör nicht auf sie, versprich es mir!

Versprochen.

Zweitens: Waffen benutzen. Auch wenn jemand dich oder deine Ehre beleidigt, versprich mir, dass deine Hand niemals zu einer Pistole, einem Messer, einem Stein, ja nicht einmal zu einem Holzlöffel greifen wird, wenn dieser

Holzlöffel dazu dient, einen Menschen zu verletzen. Versprich es mir!

Versprochen.

Drittens: Stehlen. Was dir gehört, gehört dir. Was dir nicht gehört, nicht. Das Geld, das du zum Leben brauchst, wirst du dir erarbeiten, auch wenn es mühsam ist. Du wirst niemanden betrügen, Enaiat *jan*, versprochen? Du wirst allen gastfreundlich und großzügig begegnen. Versprich es mir!

Versprochen.

Also, auch wenn deine Mutter solche Sachen zu dir sagt, anschließend zum Fenster schaut und anfängt, von Träumen zu reden, und dich dabei ununterbrochen liebkost – wenn sie von Träumen spricht wie dem Mond, in dessen Schein man abends essen kann, und von Wünschen. Davon, dass man immer einen Wunsch vor Augen haben soll, wie ein Esel eine Karotte, und dass uns erst der Wille, unsere Wünsche wahr zu machen, die Kraft gibt, morgens aufzustehen, ja, dass es das Leben lebenswert macht, wenn man nur immer schön seinen Wunsch im Kopf behält. Also, auch wenn dir deine Mutter beim Einschlafen solche Dinge sagt, mit einer leisen, sonderbaren Stimme, die dir die Hände wärmt wie Kohlenglut, wenn sie also damit die Stille füllt, ausgerechnet sie, die stets nüchtern und wortkarg war – selbst dann fällt es dir schwer zu glauben, dass ihre Worte *khoda negahdar* bedeuten: Lebewohl.

Einfach so, aus heiterem Himmel.

Als ich am nächsten Morgen aufwachte, reckte und streckte ich mich und suchte rechts neben mir nach dem vertrauten Körper meiner Mutter. Nach dem beruhigenden Duft ihrer Haut, der für mich so etwas bedeutete wie: Los, wach auf, steh auf! Aber meine Hand griff ins Leere, und ich bekam nur das weiße Baumwolllaken zu fassen. Ich zog es an mich, drehte mich um und riss die Augen auf. Ich setzte mich auf und rief nach meiner Mutter. Aber weder sie noch sonst irgendjemand hat mir geantwortet. Sie war in dem Zimmer, in dem wir übernachtet hatten und das noch warm war von den sich im Dämmerlicht regenden Leibern. Sie war nicht an der Tür und nicht am Fenster, um auf die von Autos, Lastwagen und Fahrrädern befahrene Straße zu schauen. Sie war auch nicht bei den Wasserkrügen oder in der Raucherecke, um sich, wie sie es in den letzten drei Tagen gemacht hatte, mit jemandem zu unterhalten.

Von draußen drang der Lärm von Quetta herein, der sehr viel lauter ist als der in meinem kleinen Heimatdorf, einem Fleckchen Erde voller Häuser und Bäche in der Provinz Ghazni. Für mich ist das der schönste Ort der Welt, und das sage ich jetzt nicht nur, um damit anzugeben, sondern weil es wahr ist.

Ich konnte mir nicht vorstellen, dass es die Größe der Stadt war, die diesen Lärm verursachte. Ich dachte, es handelte sich um ganz normale Nationalitätsunterschiede wie die Art, das Fleisch zu würzen. Ich dachte, der Lärm in Pakistan wäre anders als der in Afghanistan, und dass jedes Land seinen eigenen Lärm hat, der von allem Möglichen abhängt. Zum Beispiel davon, was die Leute essen und wie sie sich fortbewegen.

Mama!, rief ich. Mama!

Keine Reaktion. Also schob ich die Decke weg, zog meine Schuhe an, rieb mir die Augen und suchte nach dem Besitzer der Unterkunft, der hier das Sagen hatte, um ihn zu fragen, ob er meine Mutter gesehen hätte. Schließlich hatte er uns gleich nach unserer Ankunft vor drei Tagen mitgeteilt, dass niemand seine Herberge betrete oder verlasse, ohne dass er etwas davon mitbekomme. Darüber hatte ich mich gewundert, schließlich musste auch er hin und wieder schlafen.

Die Sonne teilte den Eingang zum *Samavat Qgazi* in zwei Hälften. In Pakistan heißen solche Herbergen auch Hotel, obwohl sie keinerlei Ähnlichkeit mit hiesigen Hotels haben. Das *Samavat Qgazi* war weniger ein Hotel als ein Aufbewahrungsort für Körper und Seelen. Ein Aufbewahrungsort, an dem man eng zusammengepfercht darauf wartet, zu Paketen verschnürt und in den Iran, nach Afghanistan oder sonst wohin verschickt zu werden. Ein Ort, an dem man Kontakt zu Schleppern aufnimmt.

Wir waren drei Tage im *Samavat* geblieben, ohne ihn ein einziges Mal zu verlassen: Während ich spielte, unterhielt sich meine Mutter mit anderen Müttern oder ganzen Familien, mit Leuten, denen sie zu trauen schien.

Ich weiß noch, dass meine Mutter in Quetta die Burka getragen hat. Bei uns zu Hause in Nawa trug sie sie nie, ich wusste nicht einmal, dass sie eine besaß. Als sie die Burka an der Grenze zum ersten Mal anzog und ich sie nach dem

Grund dafür fragte, antwortete sie lachend: Es ist ein Spiel, Enaiat, kriech drunter!

Daraufhin hob sie einen Zipfel ihres Gewands, und ich tauchte unter den blauen Stoff, als spränge ich in ein Schwimmbecken. Ich hielt die Luft an, aber ohne zu schwimmen.

Wegen des grellen Lichts legte ich meine Hand schützend vor die Augen, näherte mich Onkel Rahim, dem Besitzer, und entschuldigte mich für die Störung. Ich fragte nach meiner Mutter, erkundigte mich, ob er sie hatte fortgehen sehen, schließlich kam hier niemand rein oder raus, ohne dass er es bemerkte.

Onkel Rahim las gerade Zeitung. Es war eine englische Zeitung mit roten und schwarzen Buchstaben, ganz ohne Bilder. Er rauchte eine Zigarette. Er hatte lange Wimpern und Wangen, die mit einem Flaum bedeckt waren wie manche Pfirsiche. Auf dem Tisch im Eingangsbereich stand ein Teller mit Aprikosen, drei prallen, orangefarbenen Früchten und einer Handvoll Maulbeeren. Meine Mutter hatte mir erzählt, dass es in Quetta jede Menge Früchte gibt. Auf diese Weise wollte sie mich dafür begeistern, denn ich liebe Früchte. Quetta heißt auf Paschtu »befestigtes Handelszentrum« oder so was Ähnliches. Es ist also ein Umschlagplatz, an dem mit Waren, Menschenleben und vielem mehr gehandelt wird. Quetta ist die Hauptstadt von Belutschistan, dem Obstgarten Pakistans.

Ohne aufzublicken, pustete Onkel Rahim den Rauch in Richtung Sonne und sagte: Ja, ich habe sie gesehen.

Ich war froh. Wo ist sie hingegangen, Onkel Rahim?

Fort.

Fort, wohin?

Fort.

Wann kommt sie wieder?

Sie kommt nicht wieder.

Sie kommt nicht wieder?

Nein.

Wie, sie kommt nicht wieder? Onkel Rahim, was soll das heißen, sie kommt nicht wieder?

Sie kommt nicht wieder.

Da war ich sprachlos. Vielleicht hätte ich noch andere Fragen stellen sollen, aber mir fielen keine ein. Ich schwieg und starrte den Flaum auf den Wangen des Samavat-Besitzers an, allerdings, ohne ihn wirklich wahrzunehmen.

Dann sagte er doch noch was. Sie lässt dir etwas ausrichten.

Was denn?

Khoda negahdar.

Sonst nichts?

Doch, noch etwas.

Was denn, Onkel Rahim?

Dass du die drei Dinge, die sie dir verboten hat, niemals tun darfst.

Ich werde meine Mutter *Mama* nennen, meinen Bruder *Bruder* und meine Schwester *Schwester*. Nur das Dorf, in dem wir wohnten, werde ich nicht *Dorf* nennen, sondern Nawa, ganz einfach, weil es so heißt. Sein Name bedeutet »Rinne«, weil es in einem Tal liegt, das von zwei Bergketten umgeben ist. Als Mama eines Abends, als ich vom Spielen auf den Feldern zurückkam, sagte, mach dich fertig, wir müssen los, und ich fragte, wohin, worauf sie antwortete, wir verlassen Afghanistan, dachte ich, dass wir einfach nur die Berge überqueren würden. Für mich war Afghanistan bloß dieses Tal mit den Bächen. Ich hatte nicht die geringste Ahnung, wie groß es wirklich ist.

Wir nahmen einen Stoffbeutel, packten Kleider zum Wechseln und etwas zu essen ein: Brot und Datteln. Ich war völlig aus dem Häuschen wegen der bevorstehenden Reise. Am liebsten wäre ich zu den anderen gerannt und hätte ihnen alles erzählt, aber meine Mutter verbot es mir. Sie befahl mir, auf sie zu hören und keinen Lärm zu machen. Meine Tante, die Schwester meiner Mutter, kam vorbei, und sie unterhielten sich ein Stück weit von mir entfernt. Dann tauchte ein Mann auf, ein alter Freund meines Vaters, der nicht ins Haus kommen wollte. Er meinte, wir müssten los, der Mond sei noch nicht aufgegangen, und die Dunkelheit sei Sand in den Augen der Taliban.

Kommen mein Bruder und meine Schwester nicht mit, Mama?

Nein, sie bleiben bei der Tante.

Mein Bruder ist noch klein, er will nicht bei der Tante bleiben.

Deine Schwester wird sich um ihn kümmern. Sie ist beinahe vierzehn und schon eine richtige Frau.

Und wir, wann kommen wir zurück?

Bald.

Wann bald?

Bald.

Ich muss zum *Buzul-bazi*, zum Würfelturnier.

Hast du die Sterne gesehen, Enaiat?

Was haben die Sterne damit zu tun?

Zähle sie, Enaiat.

Das geht nicht, es sind zu viele.

Dann fang wenigstens damit an, sagte meine Mutter. Sonst wirst du niemals fertig.

Der Bezirk Jaghori, in dem wir lebten, ist nur von Hazara bevölkert, also von Afghanen wie uns. Wir haben mandelförmige Augen und eine platte Nase. Na ja, ganz platt ist sie auch nicht, nur ein bisschen platter als normal. Mit anderen Worten, wir haben mongolische Züge. Angeblich stammen wir von den Soldaten des Dschingis Khan ab. Andere behaupten, dass unsere Vorfahren Kuschanen waren. Das sind die Ureinwohner jener Gegend, die legendären Erbauer der Buddhastatuen von Bamiyan. Wieder andere behaupten, dass wir Sklaven sind und wie Sklaven behandelt werden müssen.

Für uns war es extrem gefährlich, diesen Bezirk oder die Provinz Ghazni zu verlassen (und ich benutze die Vergangenheitsform nur, weil ich nicht weiß, wie es heute ist, obwohl ich nicht glaube, dass sich die Lage groß geändert hat). Denn wenn man Taliban oder Paschtunen begegnete – die zwar nicht ein und dasselbe sind, aber beide nur Leid über unser Volk gebracht haben –, musste man äußerst vorsichtig sein. Deshalb brachen wir nachts auf: meine Mutter, ich und der Mann, den ich einfachheitshalber nur *Mann* nennen werde, und den meine Mutter gebeten hatte, uns zu begleiten. Wir marschierten los und gelangten im Schutz der Dunkelheit, aber bei Sternenlicht – das in einer Gegend ohne Elektrizität wirklich hell ist – in drei Nächten bis nach Kandahar.

Ich trug wie immer meinen grauen *Pirhan*, weite Baumwollhosen und eine lange, bis zu den Knien reichende Jacke aus demselben Material. Mama war im Tschador unterwegs, hatte aber eine Burka dabei, die sie anzog, sobald wir anderen Leuten begegneten – ein idealer Trick, um zu verbergen, dass sie eine Hazara war, und um mich zu verstecken.

Am ersten Tag ruhten wir uns bei Sonnenaufgang in einer Karawanserei aus, die, wie man an den vergitterten Fenstern sah, von den Taliban oder wem auch immer als Gefängnis genutzt wurde. Zum Glück war niemand da, aber ich langweilte mich, also zielte ich mit Steinen auf eine an einem Mast befestigte Glocke. Ich versuchte, sie aus einer Entfernung von hundert Schritt zu treffen. Schließlich gelang es mir, doch sofort kam der Mann auf mich zu gerannt, packte mich am Handgelenk und befahl mir, damit aufzuhören.

Am zweiten Tag sahen wir, wie ein Raubvogel über einem Esel kreiste. Der Esel war natürlich tot, seine Beine waren zwischen zwei Felsen eingeklemmt. Für uns war er völlig wertlos, weil wir ihn nicht essen konnten. Ich weiß noch, dass wir ganz in der Nähe von Schajoi waren, für Hazara der gefährlichste Ort Afghanistans. Es hieß, die Taliban würden durchreisende Hazara gefangen nehmen, bei lebendigem Leib in tiefe Brunnen stoßen oder den wilden

Hunden zum Fraß vorwerfen. Neunzehn Männer aus meinem Dorf waren auf dem Weg nach Pakistan verschwunden. Der Bruder eines dieser Männer war losgezogen, um nach ihnen zu suchen. Er war es auch, der uns das mit den wilden Hunden erzählt hatte. Von seinem Bruder fand er nur noch die Kleider und in den Kleidern seine Knochen.

So ist das bei uns.

Es gibt ein Sprichwort bei den Taliban: Den Tadschiken Tadschikistan, den Usbeken Usbekistan, den Hazara Goristan. *Gor* bedeutet Grab.

Am dritten Tag begegneten wir vielen Leuten, die wer weiß wohin unterwegs und wer weiß wovor auf der Flucht waren: Es war eine ganze Karawane aus Lastwagen voller Männer, Frauen, Kinder, Hühner, Stoffballen und Wasserkanister.

Wenn Lastwagen kamen, die in unsere Richtung fuhren, baten wir die Fahrer, uns ein Stück mitzunehmen, wenigstens ein kleines Stück. Waren sie nett, hielten sie an und ließen uns einsteigen. Waren sie dagegen wütend auf sich und die Welt, gaben sie Gas und fuhren weiter, wobei sie uns völlig einstaubten. Sobald wir Motorenlärm hinter uns hörten, versteckten Mama und ich uns so schnell wie möglich in einem Graben, zwischen Sträuchern oder hinter Felsen, falls es welche gab. Der Mann blieb am Straßenrand stehen und fuchtelte wild mit den Armen, damit er auch ja gesehen und nicht überfahren wurde. Wenn der Lastwagen hielt und alles in Ordnung war, stiegen Mama und ich vorne ein (was zweimal vorkam) oder hinten zu der Ware (was einmal vorkam). Als wir hinten einstiegen, war die Ladefläche voller Matratzen. Ich habe ausgezeichnet geschlafen.

Als wir den Fluss Arghandab überquerten und nach Kandahar kamen, hatte ich dreitausendvierhundert Sterne gezählt (eine stolze Zahl, wie ich finde). Davon waren mindestens zwanzig groß wie Pfirsichkerne, und ich war sehr müde. Aber nicht nur das: Ich hatte auch die von den Taliban gesprengten Brücken gezählt, die ausgebrannten Autos und die vom Militär zurückgelassenen verkohlten Panzer. Aber lieber wäre ich nach Nawa zurückgekehrt und hätte mit meinen Freunden *Buzul-bazi* gespielt.

In Kandahar hörte ich auf, die Sterne zu zählen. Und zwar deshalb, weil ich zum ersten Mal in einer so großen Stadt war und mich die Lichter der Häuser und Straßenlaternen viel zu sehr ablenkten. Ansonsten hätte ich mich aus Müdigkeit verzählt. Die Straßen von Kandahar waren asphaltiert. Es gab Autos, Motorräder, Fahrräder, Läden und viele Lokale, in denen man Chai trinken und von Mann zu Mann reden konnte. Mehr als drei Stockwerke hohe Häuser mit Antennen auf den Dächern und überall Staub, Wind und Staub. Und so viele Leute auf den Gehsteigen, dass unmöglich noch irgendjemand zu Hause sein konnte.

Nachdem wir ein Stück gegangen waren, blieb der Mann stehen und befahl uns zu warten – er müsse etwas regeln. Er sagte uns weder, wo noch mit wem. Ich setzte mich auf eine Mauer und zählte die vorbeifahrenden Autos (die bunten), während Mama regungslos stehen blieb. Es roch nach Frittiertem. Aus einem Radio plärrten Nachrichten, es hieß, in Bamiyan gäbe es Schießereien, und in einem

Haus hätte man zahlreiche Tote gefunden. Ein alter Mann hatte die Hände zum Himmel erhoben und flehte Gott um ein wenig Gnade an. Ich bekam Hunger, bat aber nicht um etwas zu essen. Ich bekam Durst, bat aber nicht um etwas zu trinken.

Der Mann kehrte mit einem Lächeln zurück, ein anderer Mann war bei ihm. Ihr habt Glück gehabt, sagte er. Das ist Shaukat, er bringt euch mit seinem Lastwagen nach Pakistan.

Meine Mutter sagte: *Salaam, agha* Shaukat. Danke.

Shaukat, der Pakistani, schwieg.

Und jetzt geht!, sagte der Mann. Bis bald.

Danke für alles, sagte meine Mutter.

Aber das habe ich doch gern getan.

Richte meiner Schwester aus, dass wir eine gute Reise hatten.

Wird gemacht. Viel Glück, kleiner Enaiat.

Er umarmte mich und küsste mich auf die Stirn. Ich lächelte ihn an, als wollte ich sagen, na klar, bis bald, mach's gut. Dann fiel mir auf, dass *viel Glück* und *bis bald* nicht besonders gut zusammenpassen: Warum viel Glück, wenn wir uns ohnehin bald wiedersehen würden?

Der Mann verschwand. Shaukat, der Pakistani, bedeutete uns, ihm zu folgen. Der Lastwagen parkte in einem staubigen Innenhof, der von einem Metallzaun umgeben war. Auf der Ladefläche lagen zig Holzstämme. Als ich sie aus der Nähe betrachtete, sah ich, dass es Laternenmasten waren.

Warum transportierst du Laternenmasten?

Shaukat, der Pakistani, schwieg.

Was es damit auf sich hatte, habe ich erst später erfahren. Nämlich dass Leute wie Shaukat aus Pakistan kommen, um in Afghanistan alles zu stehlen, was nicht niet- und nagelfest ist, obwohl es dort ohnehin kaum etwas zu holen gibt. Laternenmasten zum Beispiel. Sie kommen mit ihren Lastern, fällen die Masten und bringen sie über die Grenze, um sie zu benutzen oder weiterzuverkaufen. Aber damals interessierte uns nur, dass wir eine gute Mitfahrgelegenheit hatten, ja eine ausgezeichnete sogar, da pakistanische Lastwagen an der Grenze seltener kontrolliert werden.

Es war eine lange Reise, wie lange, weiß ich nicht mehr. Wir fuhren stundenlang durch die Berge, über Stock und Stein, vorbei an Zelten, Märkten und Staubwolken. Als es bereits dunkel war, stieg Shaukat, der Pakistani, aus, um etwas zu essen. Aber nur er, denn für uns war es besser, im Wagen zu bleiben. Man kann nie wissen, meinte er. Er brachte uns Fleischreste mit, und danach fuhren wir weiter, während der Wind durchs Fenster pfiff. Das Fenster war zwei Fingerbreit heruntergekurbelt, um frische Luft hereinzulassen, aber so wenig Staub wie möglich. Als ich sah, wie diese unendliche Weite an uns vorüberzog, musste ich an meinen Vater denken: Auch er war lange Lastwagenfahrer gewesen.

Nur dass man ihn dazu gezwungen hatte.

Meinen Vater werde ich *Vater* nennen, obwohl er nicht mehr lebt. Weil er nicht mehr lebt. Und ich werde seine Geschichte erzählen, obwohl ich sie nur aus zweiter Hand kenne. Ich kann sie also nicht beschwören. Tatsache ist, dass die Paschtunen ihn – und nicht nur ihn, sondern auch viele andere Hazara aus unserer Provinz – gezwungen hatten, in den Iran zu fahren und dort Waren zu holen, die sie dann in ihren Geschäften verkauften: Besteck, Stoffe oder diese dünnen Schaumgummimatratzen. Und zwar deshalb, weil die Iraner wie wir Hazara Schiiten sind, während die Paschtunen Sunniten sind. Und unter Glaubensbrüdern handelt es sich bekanntlich besser. Außerdem sprechen die Paschtunen kein Persisch, während wir die Iraner ein bisschen verstehen können.

Um ihn zu erpressen, drohten sie meinem Vater: Wenn du nicht in den Iran fährst und dort Waren für uns einkaufst, bringen wir deine Familie um. Wenn du mit der Ware durchbrennst, bringen wir deine Familie um. Wenn du mit zu wenig oder mit beschädigter Ware zurückkommst, bringen wir deine Familie um. Wenn du dich übers Ohr hauen lässt, bringen wir deine Familie um. Mit anderen Worten: Sobald etwas schiefgeht, bringen wir deine Familie um.

Ich war ungefähr sechs Jahre alt, als mein Vater starb.

Vermutlich wurde er in den Bergen von Banditen überfallen und getötet. Als die Paschtunen erfuhren, dass der Lastwagen meines Vaters überfallen und die Ware geraubt worden war, gingen sie zu meiner Familie und verlangten Schadensersatz. Ihre Ware wäre verschwunden, weshalb wir jetzt dafür aufkommen müssten.

Zuerst gingen sie zu meinem Onkel, zum Bruder meines Vaters. Sie sagten, dass er jetzt die Verantwortung trage und etwas unternehmen müsse, um sie zu entschädigen. Mein Onkel versuchte eine Zeit lang, die Angelegenheit zu regeln. Er wollte Felder aufteilen oder verkaufen, allerdings ohne Erfolg. Eines Tages sagte er ihnen, dass er nicht wisse, wie er sie entschädigen solle. Außerdem gehe ihn das Ganze nichts an, er habe selbst eine Familie, die er ernähren müsse. Womit er im Grunde recht hatte, ich kann ihm da keinen Vorwurf machen.

Also sind die Paschtunen eines Abends zu meiner Mutter gekommen: Wenn wir kein Geld hätten, würden sie eben mich und meinen Bruder als Sklaven mitnehmen, drohten sie – etwas, das überall auf der Welt verboten ist, auch in Afghanistan, aber so war es nun mal. Seitdem hatte meine Mutter keine ruhige Minute mehr. Sie befahl mir und meinem Bruder, draußen zu spielen, uns unter die anderen Kinder zu mischen. Denn als die Paschtunen uns zu Hause aufgesucht hatten, waren wir beide gar nicht da gewesen, so dass sie uns nicht wiedererkennen konnten.

Daher spielten wir tagsüber immer draußen, was eigentlich kein Problem war. Die Paschtunen, denen wir im Dorf begegneten, liefen an uns vorbei, ohne uns zu erkennen. Für die Nacht hoben wir in der Nähe der Kartoffeln eine Grube aus, in der wir uns versteckten, wenn jemand klopfte, und zwar bevor meine Mutter die Tür aufmachte. Eine Strategie, die ich allerdings wenig überzeugend fand: Wenn die Paschtunen mitten in der Nacht kommen, um uns zu holen, sagte ich zu meiner Mutter, werden sie bestimmt nicht vorher anklopfen.

So sah unser Leben aus, bis meine Mutter beschloss,

mich fortzuschicken. Ich war ungefähr zehn Jahre alt und damit zu groß, um mich noch länger verstecken zu können. In die Grube passte ich kaum noch, ja, ich drohte meinen Bruder regelrecht zu zerquetschen.

Ich sollte also fort.

Dabei wollte ich nie aus Nawa weg. Mein Dorf war wunderschön. Es gab keinen Strom. Um Licht zu machen, benutzten wir Petroleumlampen. Doch stattdessen gab es Äpfel. Ich konnte zusehen, wie das Obst wuchs: Die Blüten knospten vor meinen Augen und verwandelten sich in Früchte. Auch hier verwandeln sich Blüten in Früchte, aber man kann nicht dabei zusehen. Und dann die Sterne, jede Menge Sterne. Der Mond. Ich weiß noch, wie wir manchmal im Freien bei Mondschein aßen, um Petroleum zu sparen.

Unser Haus sah folgendermaßen aus: Es gab einen Gemeinschaftsraum, in dem wir auch schliefen, ein Gästezimmer und eine Ecke mit Feuer- und Kochstelle. Diese lag etwas tiefer, so dass das Feuer im Winter dank eines ausgeklügelten Leitungssystems den Fußboden heizte. Im ersten Stock befand sich noch ein Raum für Vieh und Vorräte. Draußen gab es eine zweite Küche, damit es im Sommer nicht noch heißer im Haus wurde als ohnehin schon. Und einen großen Innenhof mit Apfel-, Kirsch-, Granatapfel-, Pfirsich-, Aprikosen– und Maulbeerbäumen. Die Mauern waren mehr als einen Meter dick und aus Lehm. Wir aßen selbst gemachten Joghurt, eine Art griechischen Joghurt, nur besser. Wir besaßen eine Kuh, zwei Schafe und die Felder, auf denen wir Getreide anbauten. Das brachten wir dann zur Mühle, wo es zu Mehl gemahlen wurde.

Das war Nawa, und ich wollte nie von dort weg.

Nicht einmal, als die Taliban meine Schule schlossen.

Darf ich erzählen, wie die Taliban meine Schule geschlossen haben, Fabio?
Natürlich.
Interessiert dich das?
Mich interessiert alles, Enaiatollah.

Ich passte nicht besonders gut auf an jenem Morgen. Ich hörte dem Lehrer nur mit halbem Ohr zu und war mit meinen Gedanken beim *Buzul-bazi*-Turnier, das wir für den Nachmittag organisiert hatten. *Buzul-bazi* ist ein Spiel, das mit einem ausgekochten Schafsknochen gespielt wird. Der Knochen erinnert an einen Würfel, ist aber knubbeliger. Man spielt damit tatsächlich wie mit einem Würfel oder wie mit Murmeln. Bei uns wird ständig *Buzul-bazi* gespielt, zu jeder Jahreszeit, während wir im Frühling oder im Herbst eher Drachen bauen und im Winter Verstecken spielen. Wenn man sich eng aneinandergeschmiegt zwischen Getreidesäcken, einem Stapel Decken oder hinter einem Felsen versteckt, ist das bei der winterlichen Kälte durchaus angenehm.

Der Lehrer erklärte die Zahlen und brachte uns gerade das Rechnen bei, als wir hörten, wie ein Motorrad die Schule umkreiste, so als suchte es den Eingang, obwohl der nicht schwer zu finden war. Der Motor wurde ausgestellt.

Ein riesiger Mann erschien auf der Schwelle, mit einem langen Bart, wie ihn die Taliban haben. Wir Hazara könnten den Bart nie so tragen, weil wir eher an Chinesen oder Japaner erinnern und kaum Bartwuchs haben. Einmal hat mich ein Taliban geohrfeigt, angeblich weil ich keinen Bart trug. Aber ich war doch noch ein Kind!

Der Taliban kam mit einem Gewehr ins Klassenzimmer und verkündete mit lauter Stimme, dass die Schule geschlossen würde. Der Lehrer wollte wissen, warum. Daraufhin sagte der Taliban: Das ist uns so befohlen worden, und ihr müsst gehorchen. Anschließend verschwand er, ohne auch nur eine Antwort abzuwarten.

Der Lehrer schwieg. Er war wie erstarrt, wartete, bis das Motorengeräusch verklungen war und machte dann mit dem Mathematikunterricht weiter. Mit derselben ruhigen Stimme wie vorher und mit seinem schüchternen Lächeln. Mein Lehrer war nämlich ein wenig schüchtern. Er wurde niemals laut, und wenn er doch einmal schrie, tat es ihm fast mehr leid als uns.

Am Tag darauf kehrte der Taliban zurück. Es war derselbe, mit demselben Motorrad. Er sah, dass wir im Klassenzimmer waren und dass uns der Lehrer unterrichtete. Er kam herein und fragte den Lehrer: Warum habt ihr die Schule nicht geschlossen?

Weil es keinen Grund dafür gibt.

Der Grund heißt Mullah Omar.

Das ist kein ausreichender Grund.

Du versündigst dich. Mullah Omar hat befohlen, die Schule zu schließen.

Und wo sollen unsere Kinder dann zur Schule gehen?

Sie werden gar nicht zur Schule gehen. Die Schule ist nichts für Hazara.

Aber diese Schule schon.

Diese Schule verstößt gegen den Willen Gottes.

Diese Schule verstößt gegen euren Willen.

Ihr unterrichtet Dinge, die Gott nicht genehm sind. Lügen. Dinge, die dem Wort Gottes widersprechen.

Wir bringen den Kindern bei, gute Menschen zu sein.

Was sind gute Menschen?

Setzen wir uns doch hin und reden!

Das bringt nichts. Ich verrate es dir: Ein guter Mensch ist, wer Gott dient. Wir wissen, was Gott von den Menschen verlangt und wie wir ihm dienen müssen. Ihr nicht.

Wir lehren hier auch Demut.

Der Taliban lief durch unsere Reihen, so schwer atmend wie ich, als ich mir einmal einen Kiesel in die Nase gesteckt hatte und ihn nicht mehr herausbekam. Dann verschwand er ohne ein weiteres Wort und stieg wieder auf sein Motorrad.

Der dritte Vormittag danach war ein schöner Herbsttag, einer, an dem die Sonne noch so wärmt, dass der erste Schnee die Luft nicht abkühlt, sondern nur mit Schneeduft anreichert: der ideale Tag zum Drachensteigenlassen. Wir lernten gerade ein Gedicht auswendig, um uns auf den Poesiewettbewerb vorzubereiten, als zwei Jeeps mit Taliban vorfuhren. Wir rannten zu den Fenstern, um sie zu bestaunen. Alle Kinder der Schule schauten hinaus, obwohl sie Angst hatten. Etwa zwanzig oder dreißig Taliban sprangen von den Jeeps. Der Mann, den wir schon kannten, betrat das Klassenzimmer und sagte zum Lehrer: Wir haben dir befohlen, die Schule zu schließen. Du hast nicht auf uns gehört. Jetzt werden wir dir eine Lektion erteilen.

Das Schulgebäude war groß, und wir waren viele, bestimmt über zweihundert. Als es vor vielen Jahren gebaut worden war, hatten alle Eltern mehrere Tage daran mitgearbeitet. Jeder so viel, wie er konnte, um das Dach zu bauen oder die Fenster abzudichten, damit der Wind draußen blieb und auch im Winter unterrichtet werden konnte. Aber in Wahrheit konnte man nicht viel gegen den Wind ausrichten: Er riss die Stoffbahnen immer wieder weg. Die Schule bestand aus mehreren Klassen, es gab auch einen Rektor.

Die Taliban trieben alle aus der Schule, Kinder wie Erwachsene. Sie befahlen uns, uns im Hof im Kreis aufzustellen. Die Kinder vorn, die Erwachsenen hinten. Dann zwangen sie den Rektor und unseren Lehrer, in die Kreismitte zu kommen. Der Rektor umklammerte den Stoff seiner Jacke, als wollte er ihn zerreißen. Er weinte, wandte sich nach rechts und nach links, als suchte er etwas, das er nicht finden konnte. Der Lehrer dagegen war schweigsam wie immer. Seine Arme hingen seitlich herab, seine Augen waren geöffnet. Aber sein Blick war nach innen gerichtet. Er hatte schöne Augen, denen kaum etwas entging.

Auf Wiedersehen, meine lieben Jungen, hat er gesagt.

Dann haben sie ihn erschossen. Vor aller Augen.

Von jenem Tag an war die Schule geschlossen. Aber das Leben ohne Schule ist grau und langweilig wie Asche.

Das ist mir sehr wichtig, Fabio.

Was?

Klarzustellen, dass Afghanen und Taliban nicht ein und dasselbe sind. Die Leute sollen das wissen. Rate mal, aus wie vielen verschiedenen Ländern die stammten, die meinen Lehrer umbrachten?

Keine Ahnung. Aus wie vielen?

Mit dem Jeep waren ungefähr zwanzig Personen gekommen. Sie werden nicht zwanzig verschiedenen Nationen angehört haben, aber fast. Einige konnten sich nicht einmal miteinander verständigen. Sie kamen aus Pakistan, Senegal Marokko und Ägypten. Viele halten alle Afghanen für Taliban, aber das stimmt nicht. Es gibt Taliban, die Afghanen sind, das schon, aber es gibt auch andere: Das sind Analphabeten. Ungebildete Analphabeten aus der ganzen Welt, die verhindern, dass Kinder etwas lernen dürfen. Ganz einfach weil sie befürchten, jemand könnte merken, dass sie gar nicht im Namen Gottes handeln, sondern nur in ihrem eigenen Namen.

Wir werden das ein für alle Mal klarstellen, Enaiat. Wo waren wir stehen geblieben?

In Kandahar.

Wir sind also morgens in Kandahar aufgebrochen, mit dem Laster, der Laternenmasten transportierte. Über Peshawar kamen wir schließlich nach Quetta, wo meine Mutter eines Abends vor dem Schlafengehen meinen Kopf fest in ihre Hände nahm, mir erzählte, welche drei Dinge ich niemals tun dürfe, und mich bat, mir ganz fest etwas zu wünschen. Am Morgen danach lag sie nicht mehr neben mir auf der Matratze, und als ich Onkel Rahim, den Besitzer des *Samavat Qgazi* fragte, ob er wisse, wo sie sei, meinte er nur, sie sei nach Hause zu meinem Bruder und zu meiner Schwester zurückgekehrt. Da setzte ich mich in eine Ecke zwischen zwei Stühle und dachte, dass ich nachdenken muss. Und wenn man denkt, dass man nachdenken muss, ist das schon mal eine gute Sache, wie mein Lehrer immer so schön gesagt hatte. Aber in meinem Kopf herrschte ein riesiges Durcheinander, ein grelles Licht verhinderte, dass ich irgendetwas erkennen konnte, so als würde ich in die Sonne schauen.

Als dieses Licht ausging, gingen die Straßenlaternen an.

Pakistan

Khasta kofta bedeutet »müde wie ein Fleischkloß«, denn wenn die Frauen bei uns Fleischklöße machen, kneten sie den Teig eine halbe Ewigkeit in der hohlen Hand. Genauso fühlte ich mich: als hielte mich ein Riese in der Hand, um mich zu einem Fleischkloß zu verarbeiten. Ich hatte Kopfschmerzen, meine Arme taten weh und auch eine Stelle, die ich nur schlecht benennen kann, zwischen Lunge und Magen.

In Quetta gab es unglaublich viele Hazara. Ich hatte sie in den Tagen davor, als Mama noch da war, im *Samavat* kommen und gehen sehen. Sie hatte sich lange mit ihnen unterhalten. Aber als ich versuchte, sie anzusprechen, stellte ich fest, dass diese Hazara anders waren als die, die ich kannte. Selbst die einfachsten Worte aus meiner Heimat verwandelten sich in ihrem Mund in komplizierte, fremdländische Laute. Es gelang mir nicht, ihren Dialekt zu verstehen. Deshalb beachteten sie mich nach einer Weile nicht mehr und kümmerten sich um ihre eigenen Angelegenheiten, die dringender zu sein schienen als das Schicksal eines verlassenen Kindes. Ich konnte sie weder etwas fragen noch mit ihnen plaudern oder scherzen. Ich konnte sie auch um nichts bitten. Darum, mich nach Hause zu bringen, zum Beispiel, oder um eine Tasse Joghurt oder ein

Stück Gurke. Wenn man irgendwo fremd ist (was auffällt, sobald man den Mund aufmacht und die erste Frage stellt), ja wenn man nicht weiß, wo man ist und wie man sich dort zu verhalten hat – nun, dann wird man schnell ausgenutzt.

Und wenn ich etwas unbedingt vermeiden wollte (außer zu sterben natürlich), dann, ausgenutzt zu werden, egal, auf welche Weise.

Ich kroch hinter den Kissen hervor, hinter denen ich mich verschanzt hatte, und suchte nach Onkel Rahim. Ich fragte, ob ich bei ihm arbeiten könne. Ich würde alles tun, angefangen vom Bodenwischen bis hin zum Schuheputzen, egal, was. Nicht zuletzt, weil ich, ehrlich gesagt, eine Riesenangst davor hatte, den *Samavat* zu verlassen. Denn wer weiß, was dort draußen auf mich wartete.

Er hörte mich sehr wohl, tat aber so, als verstünde er mich nicht. Dann sagte er: Aber nur heute.

Nur heute? Und morgen?

Morgen musst du dir eine andere Unterkunft suchen.

Nur einen Tag. Ich betrachtete seine langen Wimpern, den Flaum auf seinen Wangen, die Zigarette zwischen den Lippen, von der Asche fiel, seine Pantoffeln und seinen weißen *Pirhan*. Am liebsten hätte ich mich an ihn, an seine Jacke geklammert und geweint, bis mir die Lunge und ihm das Trommelfell geplatzt wäre. Aber ich glaube, es war gut, dass ich nichts dergleichen tat. Stattdessen bedankte ich mich mehrfach für seine Großzügigkeit und fragte ihn, ob ich eine Kartoffel und eine Zwiebel aus der Küche haben könne. Er erlaubte es mir, woraufhin ich *Tashakor* sagte, was »danke« bedeutet.

Ich schlief mit angezogenen Knien.

Mein Körper schlief, aber mein Geist war wach. In meinem Traum lief ich durch die Wüste.

Am nächsten Morgen wachte ich ganz nervös auf, weil ich den *Samavat* verlassen und hinaus auf die Straße musste. Die Straße hatte mir beim Blick aus dem Tor oder aus den Badezimmerfenstern im ersten Stock kein bisschen gefallen. Sie war stark von Motorrädern und Autos befahren, und der Abwasserkanal floss stinkend zwischen Fahrbahn und Gehsteig, nur wenige Meter vom Eingangstor des *Samavat* entfernt.

Ich ging ins Bad, trank etwas Wasser und wusch mir das Gesicht, um mir Mut zu machen, bevor ich mich in das Chaos stürzte. Ich verabschiedete mich von Onkel Rahim.

Er sah mich an, ohne mich anzusehen. Wohin gehst du?, fragte er.

Ich gehe fort, Onkel Rahim.

Wohin?

Ich zuckte die Achseln und sagte: Keine Ahnung, ich kenne die Stadt nicht. Ich weiß nicht einmal, ob ich mich nach rechts oder nach links wenden soll. Also werde ich die Straße soweit wie möglich hinuntersehen und mich für die Richtung mit der schöneren Aussicht entscheiden.

In Quetta gibt es keine schöne Aussicht, nur Häuser.

Das dachte ich mir bereits, Onkel.

Ich habe es mir anders überlegt.

Was?

Ich kann dich nicht bezahlen, wenn du für mich arbeitest, zumindest nicht mit Geld. Ihr seid einfach zu viele, und ich kann nicht allen Arbeit geben. Aber du bist gut erzogen. Wenn du willst, darfst du hierbleiben, gegen Kost und Logis – so lange, bis du eine Arbeit gefunden hast, mit der du Geld verdienst. Aber bis es soweit ist, musst du für mich arbeiten, und zwar gleich nach dem Aufstehen bis zum Schlafengehen. Egal, was ich von dir verlange. Verstanden?

Ich schenkte ihm mein breitestes Lächeln. Mögest du so lange leben wie die Bäume, Onkel Rahim.

Khoda kana, hoffentlich, erwiderte er.

Obwohl ich glücklich und erleichtert war, muss ich doch sagen, dass mein erster Arbeitstag im *Samavat* in Quetta die Hölle war: Erstens sollte ich sofort einen Haufen Dinge erledigen. Zweitens hat mir niemand irgendwas erklärt, so als wüsste ich bereits alles. Dabei wusste ich nicht das Geringste und schon gar nicht, was man von mir wollte. Drittens kannte ich niemanden und wagte es nicht, mit Unbekannten zu reden, zumal ich viertens ihre Sprache kaum beherrschte. Fünftens nahm die Arbeit kein Ende, so dass ich mich fragte, wo eigentlich der Mond blieb, den ich nicht aufgehen sah. Vielleicht gab es in Quetta gar keinen Mond. Oder nur einen, der hin und wieder aufgeht, wenn es die Herrschaften wünschen, damit die einfachen Leute mehr arbeiten müssen.

Als ich mich abends schlafen legte, war ich mehr als *khasta kofta*: Ich war nur noch Hühnerfutter.

Doch bevor ich mich hinlegte, saß ich noch kurz auf der Matratze und sah, wie hässlich der *Samavat* war, mit der abblätternden Farbe an den Wänden, dem Gestank, dem Staub überall und den Flöhen zwischen den Staubkörnern. Ich verglich diesen Ort mit meinem Zuhause, aber nicht sehr lange. Bevor ich endgültig verzweifelte, verscheuchte ich diese Gedanken wieder, indem ich mit den Händen wedelte wie mein großer Freund in Nawa, damit der Qualm nicht in seinen Kleidern hängen blieb, wenn er heimlich geraucht hatte.

Enaiat, Enaiat, komm her, schnell …

Was ist denn?

Nimm den Eimer, Enaiat. Der Abwasserkanal draußen ist schon wieder verstopft. Hol Eimer und Lappen.

Soll ich auch den Stock holen, Onkel Rahim?

Eimer und Lappen, Enaiat. Den Stock habe ich bereits. Lauf!

Ich laufe.

Enaiat, du musst mir helfen.

Ich kann jetzt nicht, Onkel Zaman. Der Abwasserkanal ist verstopft. Es sickert alles zum Tor herein.

Schon wieder?

Ja, wir stecken schon wieder in der Scheiße.

Aber unsere Küche hat trotzdem geöffnet, und sowohl Zwiebeln als auch Melonen sind aus. Du musst zum Markt gehen und welche kaufen, Enaiat *jan*. Sobald du kannst.

Was ist das nur für ein Gestank?

Riechst du das, Onkel Zaman?

Ob ich das rieche? Das stinkt ja fürchterlich.

Das ist der Gestank vom Abwasserkanal. Er kommt bis hierher.

Lauf, Enaiat. Rahim wartet schon mit zugehaltener Nase auf dich.

Enaiat, wo bist du?

Hier bin ich, Onkel Rahim. Mit Eimer und Lappen.

Nicht die neuen Lappen, du Dummkopf! Nimm die, die hinten im Hof hängen.

Ich bin schon unterwegs, Onkel Rahim.

Enaiat, wo bleibst du?

Der Abwasserkanal, Laleh. Die Jauche läuft in den *Samavat*.

Daher dieser Gestank!

Entschuldige, aber ich muss die Lappen holen.

Danach kommst du zu mir, Enaiat, ich muss dich etwas fragen.

Enaiat…

Ich komme schon, Onkel Rahim.

Ich rannte los, um die alten Lappen, die hinten im Hof auf der Leine hingen, zu holen. Mit den Lappen mussten wir den Spalt zwischen Tor und Gehsteig verschließen. Dann befahl mir Onkel Rahim, in die Jauche zu steigen, um ihm zu helfen, das Zeug rauszuholen, das den Kanal verstopfte. Ich weigerte mich. Es gibt Dinge, die ich einfach nicht über mich bringe. Da fing er an zu schreien. Er täte es doch schließlich auch, und wenn er es könne, ein Erwachsener, der noch dazu Besitzer eines so bedeutenden *Samavat* sei, würde ein kleiner Junge wie ich, der nur von seinen Gnaden hier wäre, das doch wohl auch können. Daraufhin sagte ich, dass ich zwar ein kleiner Junge sei, aber in der Jauche würden eklige Dinge schwimmen, die sogar noch größer wären als ich. Irgendwann kamen andere Männer, um Onkel Rahim zu helfen. In den Tagen darauf bin ich ihm lieber aus dem Weg gegangen.

Das Küchenpersonal hatte ein eigenes Zimmer. Wir waren zu fünft, darunter ein älterer Mann, den ich sofort mochte. Er hieß Zaman und gab mir Ratschläge, wie ich es Onkel Rahim recht machen konnte, ohne mich zu überarbeiten.

Im *Samavat* gab es Einzelzimmer für diejenigen mit mehr Geld, große Zimmer für Familien mit Kindern wie das, in dem ich mit meiner Mutter gewohnt hatte, und einen Männerschlafsaal. Die Einzelzimmer habe ich nie betreten, auch später nicht. Dort gingen Menschen ein und aus, deren Sprachen ich nicht kannte. Überall Rauch und Lärm. Aber ich interessierte mich nicht für ihre Geschäfte und ging Problemen lieber aus dem Weg.

Als sie merkten, dass ich keinen Ärger machte – zumindest nicht allzu oft –, durfte ich damit anfangen, den Ladeninhabern Chai zu bringen. Zuerst hatte ich Angst, etwas falsch zu machen oder mich übers Ohr hauen zu lassen. Doch mit der Zeit lernte ich dazu, und wie ich bald merkte, hätte mir gar nichts Besseres passieren können. Vor allem ein Laden hatte es mir angetan: Es handelte sich um ein Sandalengeschäft, in das ich jeden Morgen um zehn Tee mit Milch und Brot brachte, das extra für den Besitzer gebacken wurde. Das Geschäft lag in der Nähe einer Schule.

Ich trat ein, stellte das Tablett auf den Tisch, begrüßte den *Sahib*, wie Onkel Rahim es mir beigebracht hatte, nahm das Geld und zählte es hastig, ohne den Eindruck zu erwecken, ich misstraue dem *Sahib*. (Onkel Rahim hatte mir gezeigt, wie man das macht, und ich war richtig geschickt darin geworden.) Dann verabschiedete ich mich und verließ das Geschäft. Doch statt sofort zum *Samavat* zurückzukehren, ging ich eine Runde um den Block bis zur Schulmauer und wartete, bis Pause war.

Ich mochte es, wenn sich beim Gong die Türen öffneten und die Kinder laut schreiend hinausrannten, um im Hof zu spielen. Insgeheim fiel ich in ihre Schreie mit ein und rief nach meinen Freunden aus Nawa. Ich sagte ihre Namen, trat nach dem Ball und behauptete, jemand hätte die Drachenschnur durch ein verbotenes Manöver reißen lassen. Oder aber ich machte ihnen weis, der Ziegenknochen für das *Buzul-bazi* koche noch im Eintopf mit. Den alten hätte ich verloren, so dass ich diesmal nicht mitspielen könne. Ich lief bewusst langsam, um ihnen so lang wie möglich zuzuhören. Wenn mich Onkel Rahim in Bewegung sähe, so dachte ich, würde er sich nicht so aufregen, als wenn er mich beim Herumstehen erwischte.

An manchen Tagen trug ich den Chai schon etwas früher aus und sah zu, wie die Schüler sauber, ordentlich und gut gekämmt das Gebäude betraten. In solchen Momenten hasste ich sie und musste mich abwenden. Doch wenn sie später Pause hatten, wollte ich wieder ihre Stimmen hören.

Warum konntest du ihnen zuhören, sie aber nicht ansehen, Enaiat?

Hören ist etwas anderes als Sehen. Es ist nicht so schmerzhaft. Es lässt der Fantasie mehr Raum. Dein Balkon geht auf den Hof einer Grundschule hinaus, nicht wahr?

Ja.

Bleibst du manchmal stehen und siehst zu, wie die Eltern ihre Kinder abholen? Die Schüler strömen nach dem Gong ins Freie, bleiben brav am Tor stehen, stellen sich auf die Zehenspitzen und suchen nach ihren Eltern. Und wenn sie sie gefunden haben, winken sie, spreizen die Finger, reißen Augen und Mund auf, weiten die Brust. Alles atmet in diesem Moment, auch die Bäume und Häuser. Dann kommen die Fragen nach dem Tag, den Hausaufgaben, dem Schwimmbad. Mütter stecken Hemden zurück in den Hosenbund und rücken Baseballmützen zurecht. Und am Ende sitzen alle zusammen mit ihren Freunden im Auto, und es geht ab nach Hause. Bleibst du manchmal stehen und siehst ihnen zu?

Manchmal, ja.

Mir fällt das heute noch schwer.

Ich besaß zwei *Pirhan*. Wenn ich den einen wusch, trug ich den anderen und hängte den nassen zum Trocknen auf. Sobald er trocken war, kam er in ein Stoffsäckchen, das ich in einer Zimmerecke, unweit meiner Matratze, aufbewahrte. Jeden Abend kontrollierte ich, ob es noch da war.

Nachdem mehrere Tage, Wochen, Monate vergangen waren, merkte Onkel Rahim, dass ich ein guter Junge war (und ich sage das nicht aus Selbstlob!). Dass ich gut darin war, Chai auszutragen, und weder die Gläser noch die Zuckerschale aus Ton fallen ließ. Ich machte auch sonst keinen Unsinn, wie das Tablett im Laden zu vergessen. Doch was noch wichtiger war: Ich brachte stets den korrekten Betrag zurück. Manchmal sogar etwas mehr.

Es gab nämlich ein paar nette Ladenbesitzer – zu manchen ging ich täglich gegen zehn und dann noch mal nachmittags zwischen drei und vier –, und die gaben mir etwas Trinkgeld, das ich für mich behalten durfte. Aber damals wusste ich noch nicht, dass das erlaubt war, also lieferte ich es ab. Ich hatte schließlich bis dahin kaum mit Geld zu tun gehabt, und im Zweifelsfall brachte ich auch dieses Geld zu Onkel Rahim. Und das war auch besser so. Hätte ich mich verrechnet und mir mehr Geld genommen, als mir zustand, hätte Onkel Rahim vielleicht das Vertrauen verloren, und ich wollte nicht ohne ein Dach über dem Kopf dastehen und ohne die Möglichkeit, mir die Zähne zu putzen.

Trotzdem.

Eines Tages gab es einen Sandsturm, und einer der Ladenbesitzer – jener bereits erwähnte *Sahib*, der Sandalen oder *Chaplai* verkaufte, wie ich sie nenne, und der mich mochte – lud mich ein, mich kurz zu ihm zu setzen und etwas Chai mitzutrinken. Ich wusste nicht, ob das erlaubt war, aber da er mich darum bat, hätte ich es unhöflich gefunden abzulehnen. Ich setzte mich im Schneidersitz auf den Boden, auf einen Teppich.

Wie alt bist du, Enaiat?

Das weiß ich nicht.

So ungefähr.

Elf.

Inzwischen arbeitest du schon eine ganze Weile im *Samavat*, stimmt's?

Fast ein halbes Jahr, *Sahib*.

Ein halbes Jahr, sagte er. Anschließend richtete er den Blick zum Himmel und dachte nach.

Noch nie ist jemand so lange bei Rahim geblieben, sagte er. Das bedeutet, dass er zufrieden ist.

Onkel Rahim sagt nie, dass er zufrieden mit mir ist.

Affarin, sagte der *Sahib*. Gut gemacht! Wenn er sich nicht beschwert, Enaiat, heißt das, dass er mehr als nur zufrieden mit dir ist.

Wenn Sie meinen, *Sahib*.

Ich möchte dir eine Frage stellen, und du musst sie wahrheitsgemäß beantworten, einverstanden?

Ich nickte.

Bist du mit deiner Arbeit im *Samavat* zufrieden?

Ob ich zufrieden bin, dass Onkel Rahim mir Arbeit gegeben hat? Natürlich bin ich das.

Er schüttelte den Kopf. Ich habe dich nicht gefragt, ob du zufrieden bist, dass Rahim dir Arbeit gegeben hat. Das ist doch klar. Ihm verdankst du ein Bett, abends eine Schale Reis und mittags eine Tasse Joghurt. Ich habe dich gefragt, ob dir die Arbeit gefällt. Oder ob du schon mal daran gedacht hast, etwas anderes zu machen?

Etwas anderes?

Ja.

Was denn?

Verkäufer zum Beispiel.

Verkäufer von was?

Von irgendetwas.

Wie die Jungen mit den Bauchläden unten auf dem Basar, *Sahib*? So wie sie?

So wie sie.

Ich habe darüber nachgedacht, ja. Gleich am ersten Tag. Aber da konnte ich die Sprache noch nicht gut genug. Jetzt würde ich es schaffen, wüsste aber nicht, wovon ich die Waren kaufen soll.

Hast du nichts gespart?

Von welchem Geld denn?

Von dem Geld, das dir Rahim dafür zahlt, dass du im *Samavat* arbeitest. Schickst du es nach Hause, oder gibst du es aus?

Sahib, ich bekomme kein Geld für meine Arbeit im *Samavat*. Nur Kost und Logis.

Wirklich? Ich könnte ihn umbringen! Dieser Geizhals von einem Rahim zahlt dir nicht einmal eine halbe Rupie?

Nein.

Hör zu, ich mache dir einen Vorschlag. Du arbeitest im *Samavat* nur für Kost und Logis. Aber wenn du für mich arbeitest, gebe ich dir Geld. Ich kaufe dir die Ware, du verkaufst sie, und anschließend teilen wir uns das Geld. Wenn du zwanzig Rupien verdienst, bekomme ich fünfzehn und du fünf. Die gehören dann ausschließlich dir. Na, was sagst du dazu? Du kannst damit tun und lassen, was du willst.

Aber dann erlaubt mir Onkel Rahim nicht mehr, im *Samavat* zu schlafen.

Das macht nichts. In der Stadt gibt es noch viele andere Übernachtungsmöglichkeiten.

Ganz bestimmt?

Ganz bestimmt.

Ich schwieg einen Moment. Dann bat ich den *Sahib*, eine Runde um den Block machen zu dürfen, um darüber nachzudenken. Es war gerade Pause, vielleicht würde ich aus den Schreien der Kinder die richtige Antwort heraushören. Ich hatte Zweifel, denn ich war klein, sehr klein, so klein wie ein Holzlöffelchen. Man konnte mich umpusten wie nichts, und schon hätte man mich beraubt oder übervorteilt. Andererseits gab es in Quetta viele Kinder, die auf der Straße arbeiteten. Die im Großhandel Waren kauften und anschließend wieder verkauften. Der Vorschlag war also durchaus realistisch. Und dann war da noch die Aussicht auf eigenes Geld. Ich wusste zwar nicht, wo ich schlafen würde, aber der *Sahib* hatte gesagt, das sei kein Problem. Mir fiel ein, dass die anderen Kinder schließlich auch irgendwo schlafen mussten, und für den Rest – also für das Essen und so – hätte ich mein eigenes Geld. Zum Waschen konnte ich in die Moschee gehen.

Und so habe ich an jenem Morgen die Runde um den Block nicht einmal beendet, sondern den Vorschlag des *Sahib* angenommen. Ich kehrte zu Onkel Rahim zurück und sagte ihm, dass ich fortgehe. Ich erklärte ihm auch, warum. Ich dachte, er würde wütend werden, aber stattdessen meinte er, das sei eine gute Idee. Wenn er einen Jungen bräuchte, würde er schon wieder einen finden. Dann sagte er noch, dass ich immer zu ihm kommen könne, wenn etwas wäre. Und dafür war ich ihm wirklich sehr dankbar.

Der *Sahib* und ich fuhren an den Stadtrand nach Sar Ab (die beiden Worte bedeuten »Kopf« und »Wasser«), um Waren zu kaufen.

Sar Ab ist ein großer Platz mit unzähligen verrosteten Autos und Lastwagen, die dort geduldig parken. Daneben stehen ihre Besitzer vor dem offenen Kofferraum, und jeder von ihnen verkauft etwas anderes. Wir sahen uns ein wenig um und prägten uns ein, welche Großhändler die günstigsten Preise und das interessanteste Angebot hatten Der *Sahib* verhandelte mit ihnen über jede einzelne Ware. Er ist wirklich der geborene Händler. Er kaufte ein paar eingeschweißte Brote, Kaugummis, Socken und Feuerzeuge. Wir legten alles in einen Pappkarton, der so von einer Schnur zusammengehalten wurde, dass man ihn umhängen konnte. Dann fuhren wir wieder zurück. Der *Sahib* gab mir ein paar Ratschläge. Er sagte mir, mit wem ich reden und mit wem ich nicht reden solle. Wo ich verkaufen könne und wo nicht. Was ich tun solle, wenn ich der Polizei begegnete. Aber sein wichtigster Rat lautete: Lass dich nicht beklauen!

Wir verabschiedeten uns, und der *Sahib* wünschte mir viel Glück. Irgendwo muss es für jeden Anlass eine Art Glücksreserve geben, dachte ich. Oder aber es war dasselbe Glück, das mir der alte Freund meines Vaters gewünscht hatte, nachdem er uns nach Kandahar gebracht hatte. Also drehte ich mich abrupt um und rannte die Straße hinunter. Wenn ich nur schnell genug bin, sagte ich mir, heftet sich dieses Glück vielleicht an die Fersen eines anderen. Ich selbst wollte nach dem letzten Mal nämlich nichts mehr damit zu tun haben.

Aus alter Gewohnheit, und weil es beinahe Zeit für die Pause war, dehnte ich meinen Radius bis zur Schule aus, um die Ballgeräusche und die Stimmen der Fangen spielenden Kinder aufzusaugen. Ich setzte mich auf eine kleine Mauer. Als die Lehrer wieder zum Unterricht riefen, stand ich auf und machte mich auf den Weg zum Basar. Dabei lief ich immer dicht an den Häuserwänden entlang, um von einer Seite geschützt zu sein, und hielt den Karton gut fest, aus Angst, beklaut zu werden.

Der Basar, den mir der *Sahib* genannt hatte, heißt Liaquat Basar und liegt in der Innenstadt.

Die Hauptstraße, die dorthin führt, ist die Shar Liaquat. Wegen der vielen grünen, roten, weißen und gelben Reklametafeln ist sie sehr bunt. Auf den gelben Reklametafeln steht Call Point Pco, sie zeigen ein Telefon. Die Blauen tragen den Schriftzug »Rizwan Jewellers« und so weiter und so fort. Unter den englischen Namen kommen die arabischen, unter den arabischen die in der Sonne flirrenden Staubkörner und inmitten der in der Sonne flirrenden Staubkörner ein Durcheinander aus Menschen, Fahrrädern, Autos, Stimmen, Schreien, Rauchschwaden und Gerüchen.

Der erste Tag war wieder einmal schlimm, fast noch schlimmer als der erste Tag im *Samavat Qgazi*. Einer von denen, die man lieber vergisst. Anscheinend war ich doch nicht schnell genug gewesen, so dass sich das Glück an meine Fersen heften konnte.

Es war bereits Abend, und ich hatte immer noch nichts verkauft. Ich war also entweder unfähig, etwas zu verkaufen, oder meine Ware war uninteressant, weil alle bereits mit Broten, Socken und Taschentüchern eingedeckt waren. Oder aber es gab irgendeinen mir unbekannten Trick, wie man seine Waren an den Mann bringt. Also lehnte ich mich verzweifelt an einen Laternenmast und starrte in den Fernseher, der im Schaufenster eines Elektrogeschäfts lief. Ich war so versunken in das Programm – eine Nachrichtensendung, eine Soap oder ein Tierfilm, was genau, weiß ich nicht mehr –, dass ich nicht das Geringste bemerkte. Bis ich plötzlich sah, wie sich eine Hand meinem Karton näherte, eine Packung Kaugummi herausnahm und wieder verschwand.

Ich fuhr herum. Ein paar paschtunische Jungs – es dürften etwa sechs oder sieben gewesen sein, die Paschtu sprachen, es konnten aber auch Belutschen gewesen sein – standen mitten auf der Straße. Sie sahen mich an und lachten. Einer von ihnen, vermutlich ihr Anführer, spielte mit einer Packung Kaugummi – mit meiner Packung Kaugummi! – und balancierte sie auf dem Handrücken.

Wir begannen zu streiten, ich in meiner Sprache, sie in der ihren.

Ich hatte einfach Lust auf einen Kaugummi, sagte der Anführer der Belutschen.

Gib mir meine Kaugummis zurück!, befahl ich.

Dann hol sie dir doch! Er machte eine entsprechende Geste.

Ich sollte sie mir holen? Schließlich war ich viel kleiner als die anderen und ihnen außerdem zahlenmäßig unterlegen. Die Jungen wirkten ziemlich aggressiv und nicht sehr vertrauenswürdig. Hätte ich mich mit dem Anführer angelegt, hätten sie mir bestimmt jeden Knochen im Leib gebrochen und mir sämtliche Waren geklaut. Wie hätte ich da dem *Sahib* erklären sollen, dass mir schon am ersten Tag alles gestohlen worden war? Nicht aus Feigheit, sondern rein aus Vernunftgründen beschloss ich, lieber ein Päckchen Kaugummi als meine Zähne und alles andere zu riskieren und wandte mich gerade zum Gehen, als …

Gib sie ihm zurück.

Gib ihm das Päckchen zurück.

Wie aus dem Nichts waren plötzlich andere Hazara-Jungs neben mir aufgetaucht. Erst einer, dann zwei, dann drei, ja es wurden immer mehr, und manche von ihnen waren sogar noch kleiner als ich. Sie sprangen von den Dächern, quollen aus den Gassen. Innerhalb weniger Minuten waren wir den Belutschen zahlenmäßig überlegen. Als ihnen klar wurde, was los war, ergriffen viele die Flucht. Nur der Anführer und zwei seiner Getreuen, die ihn in die Mitte nahmen, blieben noch übrig. Sie waren allerdings einen Schritt zurückgewichen – sie hatten Angst. Ich fühlte mich wie ein Schneeleopard. Mit jenem kleinen Heer als Rückendeckung ging ich auf den Anführer der Belutschen zu, um mir meine Kaugummis zurückzuholen. Da rannte er plötzlich los oder versuchte es zumindest. Ich packte ihn, und wir kugelten mitsamt unseren Waren über den Boden. Ich spürte seine Muskeln unter dem Stoff seines *Pirhan*, und er versetzte mir zwei Fausthiebe. Doch in dem Durcheinander gelang es mir, ihm ein Paar Socken zu entwenden. Danach verpasste er mir einen Fußtritt in den Bauch, und mir blieb die Luft weg. Er hob seinen Karton auf und verschwand. Das Päckchen Kaugummi hat er behalten. Aber ich hatte die Socken, und die waren mehr wert.

Einer der Hazara half mir beim Aufstehen.

Ich hätte eure Hilfe gut gebrauchen können, sagte ich. Aber ihr wolltet euch ja lieber nicht einmischen.

Dann wäre es das nächste Mal noch schlimmer geworden. So hast du bewiesen, dass du dich selbst verteidigen kannst.

Meinst du?

Ja.

Ich gab ihm die Hand. Trotzdem, danke. Ich heiße Enaiatollah.

Sufi.

Ich freundete mich mit den Jungen an, vor allem mit einem von ihnen. Er hieß Gioma, Spitzname Sufi, weil er so zurückhaltend und schweigsam war wie ein Mönch. Auch wenn er manchmal mehr Unsinn anstellte als alle anderen zusammen.

Eines Abends zum Beispiel, als wir gerade gemeinsam unterwegs waren, ging er zu einem völlig verdreckten, stinkenden Bettler und ließ ein paar Kiesel in seiner Metallschale klingeln. Der arme Mann, der dort vor sich hindöste, schreckte sofort hoch, um zu sehen, wer ihm so viel Geld gegeben hatte. Bestimmt wähnte er sich bereits reich und glaubte, sich eine Mahlzeit im besten Restaurant der Stadt leisten zu können oder eine ordentliche Portion Opium. Doch als er merkte, dass es sich nur um Kiesel handelte und uns hinter der Moscheemauer lachen hörte, verfolgte er uns, um Kleinholz aus uns zu machen. Aber wir hauten sofort ab, und er war zu mitgenommen, um uns auf den Fersen bleiben zu können.

Ein anderes Mal entdeckte Sufi ein Motorrad, das an einen Pfahl angekettet war. Er setzte sich darauf, aber nicht, um es zu stehlen. Er wollte sich nur draufsetzen und schauen, wie sich das anfühlt, weil er schon immer davon geträumt hatte, ein Motorrad zu besitzen. Aber kaum, dass er am Gas gedreht und den Kickstarter getreten hatte, ging aus irgendeinem Grund der Motor an. Das Motorrad machte einen Satz nach vorn, und Sufi wurde in einen Obststand geschleudert. Der Mönch hatte noch Tage danach Schwierigkeiten, sich zum Gebet hinzuknien.

Tag für Tag trafen wir uns mit den anderen Jungen auf dem Markt und legten gegen Mittag etwas Geld für Joghurt mit Schnittlauch, Brotfladen aus dem Lehmofen und etwas Obst oder Gemüse zusammen.

So weit, so gut.

Ich arbeitete weiterhin auf dem Liaquat Basar, ich hatte schließlich nichts Besseres zu tun. Aber das hieß noch lange nicht, dass mir die Arbeit gefiel. Es war nicht so wie im Laden, wo die Leute zu dir kommen und sagen, was sie wollen. Wo du die Kunden nur freundlich empfangen musst. Stattdessen waren wir gezwungen, uns vor oder neben sie zu stellen, während sie gerade mit den Gedanken ganz woanders waren, und zu sagen: Kaufen Sie, kaufen Sie mir bitte etwas ab! Wir mussten ihnen zur Last fallen wie Schmeißfliegen, was sie natürlich nervte, so dass sie uns schlecht behandelten. Es machte mir keinen Spaß, anderen zur Last zu fallen. Und es machte mir auch keinen Spaß, schlecht behandelt zu werden. Aber auch ich musste irgendwie überleben. Und um zu überleben, tut man auch Dinge, die einem keinen Spaß machen.

Mit der Zeit entwickelte auch ich die eine oder andere Methode, wie ich die Leute dazu zwingen konnte, mir etwas abzukaufen, und die Geschäfte gingen gut. Ich machte mich an die heran, die ein Kind auf dem Arm hatten, und biss in ein Brötchen, ohne die Verpackung zu entfernen, so dass man den Abdruck meiner Zähne sah. Und wenn sie nicht hinschauten, gab ich es dem Kind. Anschließend sagte ich zu den Eltern: Schaut nur! Es hat mir heimlich ein Brötchen weggenommen. Es hat es beschädigt. Ihr müsst es mir bezahlen. Oder aber ich kniff die Kleinen leicht in den Arm, damit sie weinten. Dann sagte ich zu den Eltern: Kauft etwas, um euer Kind zu trösten. Doch all das verstieß gegen das dritte Gebot, das mir meine Mutter mit auf den Weg gegeben hatte: *Du sollst nicht betrügen.*

Außerdem war da immer noch die Frage nach dem Schlafplatz. Wenn es dunkel wurde, suchten ich und die anderen Jungs in heruntergekommenen Vierteln am Stadtrand von Quetta Unterschlupf. Überall verlassene, einsturzgefährdete Häuser. Hinter den Autos Drogenabhängige. Feuer. Müll. Ich selbst war auch sehr schmutzig, ging aber jeden Morgen noch vor dem Frühstück in die Moschee, um mich zu waschen, und lief anschließend an der üblichen Schule vorbei.

Das habe ich kein einziges Mal ausgelassen, so als wollte ich nicht schwänzen.

Eines Nachmittags sprach ich mit dem *Sahib*, dem Ladenbesitzer und meinem Geschäftspartner. Ich sagte, dass ich aufhören und mir eine andere Arbeit suchen wolle, weil ich es nicht mehr aushielte, auf der Straße zu schlafen.

Da nahm er schweigend einen Zettel und rechnete mit mir ab. Er sagte mir, wie viel ich bisher verdient hätte. Ich traute meinen Ohren kaum, denn es war eine ziemlich stolze Summe. Er holte Münzen und Scheine aus einem Umschlag und drückte sie mir in die Hand. In meinem ganzen Leben hatte ich noch nie so viel Geld auf einen Haufen gesehen. Dann sagte er: Wenn es nur ums Schlafen geht, kannst du abends kurz vor Geschäftsschluss zu mir kommen. Dann lasse ich dich in meinem Laden übernachten.

Im Laden?

Im Laden.

Ich sah mich um. Der Raum war sauber, auf dem Boden lagen Teppiche, und die Wände waren von Kissen gesäumt. Es gab kein Wasser und kein Bad, aber ganz in der Nähe lag eine Moschee, in die ich morgens gehen konnte.

Ich nahm seinen Vorschlag an. Abends tauchte ich kurz

vor sieben vor dem Laden auf, während er gerade die Rollläden herunterließ. Er gab mir nicht etwa die Schlüssel, das nicht. Ich war die ganze Nacht eingesperrt, bis er am nächsten Morgen wiederkam, um aufzumachen. Unter Umständen erst gegen zehn oder noch später. Da ich nicht wusste, wie ich mir die Zeit bis zur Ladenöffnung vertreiben sollte, versuchte ich die Zeitungen zu lesen, die er auf dem Tresen liegen ließ. Aber die Sprache Urdu habe ich leider nie richtig gelernt. Ich las langsam, so langsam, dass ich schon nach einer halben Seite nicht mehr wusste, worum es eigentlich ging. Ich suchte nach Nachrichten über Afghanistan.

Eines Wintermorgens – sah ich wie jeden Tag in den Himmel und hoffte, dass es schneien würde wie in Nawa. Aber obwohl es so kalt war, dass einem alles abfror, war der Winter in Quetta ein Winter ohne Schnee, das Schlimmste, was man sich überhaupt vorstellen kann. Als ich begriff, dass es niemals schneien würde, weinte ich wie noch nie in meinem Leben. Eines Wintermorgens also, ging ich in ein Geschäft, in dem Teller und Gläser verkauft wurden, und bat um etwas Wasser. Der Ladenbesitzer sah mich an wie ein Stück Dreck und sagte: Wer bist du überhaupt? Bist du ein Schiit oder ein Muslim?

Normalerweise ist das ein und dasselbe, er stellte mir also eine wirklich blöde Frage. Ich verlor die Geduld, denn irgendwann ist jede Geduld am Ende, auch wenn man nur ein kleiner Junge und kaum größer als eine Ziege ist. Also sagte ich: Erstens bin ich ein Schiit und zweitens ein Muslim. Besser gesagt, erstens bin ich ein Hazara, zweitens ein Schiit und drittens ein Muslim.

Ich hätte ihm genauso gut sagen können, dass ich Muslim sei, aber ich wurde frech und sagte, was ich sagte. Also nahm er einen Besen, mit dessen Stiel er mich böse verprügelte. Er hieb erbarmungslos auf meinen Kopf und Rücken ein. Ich floh lauthals schreiend aus dem Geschäft, teils vor Wut, teils vor Schmerz, aber keiner der Umstehenden half mir. Ich kniete mich hin, hob einen Stein auf und warf ihn in das Geschäft. Mein Wurf war dermaßen präzise, dass mich ein zufällig vorbeikommender Amerikaner sofort in seine Baseballmannschaft aufgenommen hätte. Ich hatte nicht vor, den Besitzer zu treffen, sondern wollte nur ein paar Teller und Gläser zu Bruch gehen lassen. Der Besitzer ging unter dem Ladentisch in Deckung, um dem Stein auszuweichen, der alles in dem Holzregal hinter ihm zertrümmerte. Danach lief ich weg.

In diese Straße bin ich nicht mehr zurückgekehrt, nie mehr. Wo Sufi damals war, weiß ich nicht, manchmal gingen wir auch getrennte Wege.

Am Nachmittag desselben Tages ging ich zu den Indern, um *Ash* zu essen. *Ash* ist eine Suppe mit Hülsenfrüchten und langen dünnen Nudeln. Ich aß also dieses *Ash* – ich hatte nämlich mehr verdient als sonst und wollte mir etwas gönnen, Brotfladen mit Joghurt konnte ich langsam wirklich nicht mehr sehen – und hatte meine Schale gerade erst in Empfang genommen, als einer der Langbärte vorbeikam und sagte: Warum isst du *Ash* bei einem Inder?

Ash essen ist nämlich eine Sünde – warum, weiß ich

auch nicht, aber es ist so –, doch ich hatte bereits davon gekostet, und es schmeckte wirklich hervorragend. So lecker, dass es einfach keine Sünde sein konnte. Daher sagte ich: Mir schmeckt's. Warum darf ich es nicht essen?

Ich befand mich nicht in einem der überdachten Restaurants, deshalb hatte mich der Bärtige entdeckt, sondern auf einem staubigen kleinen Platz, in dessen Mitte der Inder mit seinem Topf stand. Man bezahlt, bekommt seine Schale und einen Löffel und isst in einer Ecke im Stehen. Danach gibt man beides zurück.

Keine Ahnung, wer dieser Bärtige war – er trug einen riesigen weißen Turban, der so hoch war, dass der Mann nicht einmal tausend Stockschläge gespürt hätte. Sein Mund war von einem dermaßen dichten Bart bedeckt, dass man nicht sehen konnte, wie er beim Sprechen die Lippen bewegte. Nur ein kleines Stück seiner Wangen war noch zu sehen. Man hätte ihn glatt mit einem Bauchredner verwechseln können, aber wahrscheinlich war er Wahabit, einer jener Fundamentalisten, die ständig zum Dschihad aufrufen.

Wie dem auch sei, er nahm mir meinen Teller weg und drehte ihn um. Dabei hatte ich die Suppe bezahlt, es war meine Suppe! Aber mir blieb nichts anderes übrig, als zuzusehen, wie die Suppe im Boden versickerte und eine Katze die Hülsenfrüchte fraß.

Da dachte ich mir: Jetzt reicht's! Ich hatte genug davon, so behandelt zu werden. Ich hatte alles satt: Die Fundamentalisten. Die Polizei, die uns ständig anhielt, nach dem Pass fragte, und wenn wir keinen hatten, Geld von uns verlangte. Geld, das sie selbst einsteckten. Geld, das wir sofort rausrücken mussten, sonst schleppten sie uns aufs Revier und schlugen uns grün und blau, versetzten uns Fausthiebe und Fußtritte. Ich hatte es satt, mein Leben aufs Spiel zu setzen, denn jeden Tag konnte man einem Attentat der Wahabiten zum Opfer fallen. So wie an jenem Tag, als wir nicht wie sonst zum Beten in die große schiitische Moschee in Quetta gegangen waren. Warum, weiß ich gar nicht mehr, auf jeden Fall hörten wir irgendwann eine laute Explosion und rannten hin, um zu schauen, was los war. Da erfuhren wir, dass sich zwei Selbstmordattentäter in die Luft gesprengt hatten. Vor und in der Mosche gab es neunzehn Tote zu beklagen, zumindest hat man uns das so gesagt.

Auf der Straße traf ich viele Jungen, die in den Iran gingen oder aus dem Iran zurückkamen. Sie erzählten, dass es im Iran besser sei als in Pakistan (was mich nicht weiter wunderte, denn ich hätte darauf wetten können, dass es überall auf der Welt besser wäre als in Quetta, ohne jemals dort gewesen zu sein). Sie sagten auch, dass es dort mehr Arbeit gebe. Dann war da noch die Sache mit der Religion. Auch sie waren Schiiten – die Iraner, meine ich –, und für uns Hazara war das besser, ganz einfach weil sich Glaubensbrüder besser behandeln. Dabei bin ich der Meinung, dass man jeden gleich gut behandeln muss, egal, welchen Pass oder Glauben er hat.

Diese Gerüchte lagen einfach in der Luft, so als kämen sie aus den Lautsprechern der Muezzin. Auch der Flug der

Vögel und ihr Gezwitscher kündeten davon, und weil ich jung war, glaubte ich daran. Was weiß man groß von der Welt, wenn man jung ist? Hören und glauben ist da ein und dasselbe. Ich glaubte alles, was man mir erzählte.

Als ich also hörte, dass es im Iran Schiiten gab, die einen gut behandeln, und jede Menge Arbeit, und als ich die Jungen sah, die aus Teheran oder Qom mit etwas Geld, saubereren Kopfbedeckungen, neuen Kleidern und in Turnschuhen statt Sandalen nach Afghanistan zurückkehrten, während wir Hazara vom Liaquat Basar stanken wie die Ziegen, ehrlich – also als ich sah, wie diese Jungen auf der Durchreise im *Samavat Qgazi* übernachteten, dachte ich, dass sie auch einmal so ausgesehen hatten wie ich, aber jetzt Jeans und Hemd trugen. Und so beschloss ich, ebenfalls in den Iran zu gehen.

Ich ging zu Onkel Rahim und fragte ihn um Rat, schließlich war er derjenige, der sich am besten mit Reisen auskannte. Ohne den Mund zu einem Lächeln zu verziehen, sagte er – während er die obligatorische Zigarette rauchte, deren Qualm sich in seinen langen Wimpern verfing –, dass es eine gute Idee sei, in den Iran zu gehen. Aber in einem Tonfall, als wären eine gute oder eine schlechte Idee bloß zwei Hälften eines Brötchens, das man ohnehin isst, ohne groß auf den Belag zu achten.

Er schrieb etwas auf einen Zettel, einen Namen, und gab ihn mir. Dann sagte er: Mit ihm musst du reden.

Es handelte sich um einen Schlepper, bei dem ich mich als sein Freund vorstellen sollte, damit er mich gut behandelte und nicht betrog, was man in solchen Fällen niemals ausschließen kann. Dann ging er in die Küche, schenkte mir ein Paket mit gerösteten Kichererbsen und Rosinen und sagte, dass er mir nicht mehr mitgeben könne außer seinem Segen. Er wünsche mir, dass ich wohlbehalten ankomme.

Ich hatte mich also entschieden und wollte nicht mehr zurückschauen.

Ich verabschiedete mich von Zaman und versprach ihm, ein bisschen im Koran zu lesen, falls ich einen fände. Dann ging ich zum *Sahib* und dankte ihm für alles. Anschließend besuchte ich die Jungs vom Liaquat Basar und erzählte ihnen von meinen Plänen. Davon, dass ich fortgehen würde.

Wohin?

In den Iran.

Und wie kommst du dorthin?

Mit einem Schlepper. Onkel Rahim hat mir seinen Namen genannt.

Wenn sie dich erwischen, landest du in *Telisia* oder *Sang Safid*.

Dann sollen sie mich eben erwischen. Hier will ich nicht bleiben.

Es heißt, dass viele dabei umkommen, weil die iranische Grenzpolizei auf dich schießt.

Es heißt aber auch, dass es dort gute Arbeit gibt, meinte ein anderer.

Das sind alles bloß Gerüchte, sagte ich. Ob sie stimmen, weiß man erst, wenn man es mit eigenen Augen gesehen hat.

Sufi aß Datteln und kaute darauf herum wie ein Kamel. Er wischte sich mit dem Ärmel seines *Pirhan* über den Mund und setzte den Bauchladen ab. Dann machte er einen Satz zurück und sprang auf eine Mauer, wo er eine Eidechse verscheuchte, die sich dort sonnte. Er schwieg ein paar Minuten, so wie immer, mit verschränkten Armen und Beinen. Dann sagte er: Bist du sicher, dass das eine gute Idee ist?

Ich zuckte die Achseln. Ich wusste nur eines: Ich wollte hier weg.

Ich möchte auch nicht bleiben, sagte Sufi.

Ich schwieg, weil ich wollte, dass er es selbst sagt.

Ich komme mit, Enaiat.

Als wir mit dem Schlepper sprachen, in einem von *Taryak*-Rauch geschwängerten Raum, in dem ein Haufen Männer Chai tranken und Opium erhitzten, wollte der Typ sofort Geld sehen. Aber wir besaßen die gewünschte Summe nicht. Wir leerten die Taschen unseres *Pirhan*, stülpten sie nach außen und türmten alle unsere Ersparnisse vor ihm auf. Es war ein beträchtlicher Geldhaufen.

Das ist alles, was wir dir geben können, sagte ich. Und keine halbe Rupie mehr.

Er musterte uns lange, als wollte er uns ein Gewand anmessen. Euer bisschen Geld reicht nicht mal für das Busticket bis zur Grenze, sagte er.

Sufi und ich sahen uns an.

Aber es gibt eine andere Lösung, sagte er. Ich bringe euch in den Iran. Aber dort müsst ihr arbeiten, wo ich es euch sage, erklärte er, wobei er einen Apfel klein schnitt und ein Stück davon mit dem Messer zum Mund führte.

Arbeiten! Das ist ja wunderbar, erwiderte ich. Ich traute meinen Ohren kaum. Er wollte uns nicht nur in den Iran bringen, sondern uns auch noch Arbeit beschaffen.

Drei oder vier Monate lang, je nachdem, was mich eure Reise gekostet hat, werde ich euren Lohn einbehalten, sagte der Schlepper. Danach seid ihr frei und könnt tun und lassen, was ihr wollt. Wenn ihr euch dort wohlfühlt, könnt ihr bleiben, ansonsten geht ihr woandershin.

Es hätte nicht viel gefehlt, und Sufi hätte sich mit geschlossenen Augen zum Gebet hingekniet – so ruhig und schweigsam war er. Ich war völlig benommen von dem Rauch und der Dunkelheit. Ich versuchte zu ergründen, wo da der Haken war, denn Schlepper sind berühmt für ihre fiesen Tricks. Aber wir hatten nun mal nicht mehr Geld, und er musste die Belutschen und Iraner bestechen, damit sie uns über die Grenze ließen. Und das war nun mal das Teuerste, da hatte er nicht ganz unrecht. Außerdem waren wir nicht seine Söhne, und er wollte mit unserem Transport kein Verlustgeschäft machen. Darüber hinaus hatte ich mich als Freund von Onkel Rahim vorgestellt. Ich war also nicht irgendwer, und das machte mir Mut.

Sufi und ich willigten ein.

Morgen früh um acht seid ihr hier, sagte er. *Khoda negahdar.*

Um acht. Vor dem Eingang des Lokals. Aber weder Sufi noch ich besaßen eine Uhr, besser gesagt, weder Sufi noch ich hatten je in unserem Leben eine Uhr besessen. Wollte man in Nawa die Uhrzeit wissen, maß man den Schatten mit den Schritten, und wenn keine Sonne schien, schätzte man die Uhrzeit. Als Wecker dienten das Licht, die Rufe der Muezzin, der Hahnenschrei und in Quetta der Lärm der erwachenden Stadt. Daher beschlossen Sufi und ich, in dieser Nacht nicht zu schlafen. Wir schlenderten umher und verabschiedeten uns von der Stadt.

Am nächsten Morgen brachte uns der Schlepper an einen Ort ganz in der Nähe, der etwa einen zwanzigminütigen Fußmarsch entfernt war. Dort blieben wir dann bis mittags und aßen Joghurt mit Gurken. Das war unsere letzte Mahlzeit in Pakistan, das weiß ich noch wie heute. Anschließend sind wir aufgebrochen.

Zunächst nahmen wir einen Linienbus bis zur Grenze, einen Bus mit vielen Sitzplätzen. Und zwar nicht als blinde Passagiere, die sich unter den Sitzen verstecken, sondern mit Fahrkarte, wie die vornehmen Leute. Wir waren begeistert. Nie hätten wir gedacht, dass unsere Reise in den Iran so bequem sein würde. Das war sie natürlich nicht, doch anfangs gab es nichts daran auszusetzen. Alles war wunderbar.

An der Grenze schlossen wir uns einer anderen Gruppe an. Wir waren zu siebzehnt und bestiegen die Ladefläche eines Toyota. Vorne gab es vier Plätze, die der Schlepper und seine Kumpanen belegten, während wir uns zu siebzehnt hinten draufquetschten, dicht an dicht wie die Sardinen. Es war auch so ein Bärtiger dabei – unter uns Geschmuggelten, meine ich –, ein großer, zerzauster Kerl, der mich von Anfang an nicht ausstehen konnte. Und obwohl ich ihm gar nichts getan hatte, versuchte er während der Fahrt, mich mit dem Ellbogen vom Transporter zu schubsen. Einfach so, wie wenn nichts wäre! Und das so oft, dass ich irgendwann sagen musste: Hör auf, lass das sein!

Aber bei dem Lärm hätte ich genauso gut an eine Wand hinreden können. Der Toyota fuhr steil bergauf und über zahlreiche Schlaglöcher, so dass ich auch ohne die Stöße des Bärtigen riskierte, von der Ladefläche zu fallen. Ich fing an, ihn anzuflehen, sagte, ich hätte ihm doch gar nichts getan. Auch Sufi wusste weder ein noch aus. Er wollte mir helfen, aber wie? Irgendwann stand einer der Männer auf, ein Tadschike vermutlich. Er stand ganz normal auf, als wollte er einen Schluck Wasser trinken, verpasste dem Bärtigen einen Fausthieb mitten ins Gesicht und befahl ihm, mich in Ruhe zu lassen. Ich hätte ihm schließlich nichts getan, wir säßen alle im selben Boot und wollten heil ankommen, wozu sich da gegenseitig das Leben schwermachen?

Da hat sich der Typ beruhigt.

Nach unzähligen Stunden hielten wir und mussten aussteigen. Keine Ahnung, wo wir waren: Vor uns lag nur ein verdorrter, kahler Hügel, der dem knatternden Wind ausgesetzt war. Es war stockdunkel, selbst der Mond hatte sich an jenem Abend verkrochen. Die Schlepper versteckten uns in einer Höhle, sie durften immer nur fünf Leute auf einmal über die Grenze bringen.

Als Sufi und ich an der Reihe waren, sollte Sufi hinten und ich vorne auf dem Beifahrersitz Platz nehmen. Die Schlepper befahlen mir, mich zu ducken. Vorne stiegen noch zwei Personen ein, so dass ich die Fahrt in die Stadt – bei der ich so gern aus dem Fenster geschaut hätte – unter den Füßen der beiden anderen Fahrgäste verbrachte, deren Schuhsohlen auf meinem Rücken ruhten.

Die Stadt, in die wir schließlich kamen, hieß Kerman.

Iran

Ein zweistöckiges Haus. Ein Innenhof mit Pflanzen, den eine Steinmauer von der Straße trennt. Wir konnten natürlich nicht hinausgehen, um *Buzul-bazi* oder Fußball zu spielen. Im ersten Stock befanden sich ein Bad mit Dusche und zwei geräumige Zimmer mit Kissen, Teppichen und vielen Fenstern, die jedoch alle verhängt waren. Im Erdgeschoss sah es genauso aus, bis auf das Bad, das draußen im Innenhof im Schatten einer Zypresse lag. Im Grunde war das Haus in Kerman ein schönes Haus.

Wir, der Schlepper und seine Leute, waren dort nicht die einzigen. Es gab noch andere, die wer weiß woher kamen, illegale Einwanderer wie wir. Manche schliefen, andere aßen, und wieder andere flüsterten leise. Jemand schnitt sich die Nägel, ein Mann tröstete ein Kind, das in einer Ecke auf dem Boden lag und erbärmlich weinte. Ein Schlepper, der am Tisch saß, reinigte ein langes Messer. Viele rauchten, und Qualm verdunkelte das Zimmer. Frauen gab es keine. Sufi und ich setzten uns auf den Boden und lehnten uns an eine Wand, um uns auszuruhen. Man brachte uns zu essen: Reis und frittiertes Huhn. Vielleicht, weil wir noch am Leben, im Iran in diesem hübschen Haus waren, und es leckeren Reis und frittiertes Huhn gab, begann ich, ganz überwältigt von meinen Gefühlen, zu zittern.

Mir war gleichzeitig heiß und kalt. Ich schwitzte. Mein Atem ging pfeifend, und ich bekam solchen Schüttelfrost, dass mich nicht einmal ein Erdbeben so hätte erschüttern können.

Was hast du?, fragte Sufi.

Ich weiß nicht.

Bist du krank?

Ich fürchte, ja.

Wirklich? Wie krank?

Ruf den Mann.

Welchen Mann?

Den, der mich vor dem Bärtigen beschützt hat.

Der Mann, der auf der Fahrt mit dem Toyota verhindert hatte, dass ich mir auf dem Grund einer Schlucht sämtliche Knochen brach, kniete sich neben mich und legte mir eine Hand auf die Stirn – seine Hand war riesig, seine Finger reichten von einem Auge zum anderen.

Seine Stirn ist kochend heiß. Er hat Fieber.

Sufi steckte sich einen Finger in den Mund. Und was jetzt?

Nichts. Er muss sich ausruhen.

Kann er daran sterben?

Der Mann zog die Nase kraus. Wer weiß, kleiner Hazara, wer weiß? Hoffen wir das Beste! Ich glaube, er ist einfach nur müde.

Können wir niemanden rufen, einen Arzt vielleicht?

Das müssen die entscheiden, sagte der Mann und zeigte auf die Belutschen. In der Zwischenzeit hole ich ein Tuch und tränke es mit kaltem Wasser.

Ich erinnere mich, wie ich ein Auge öffnete. Das Lid war so schwer wie die Eisenrollläden des Sandalengeschäfts vom *Sahib*.

Geh nicht fort, sagte ich zu Sufi.

Ich gehe nirgendwohin, beruhige dich.

Der Mann kam mit dem wassergetränkten Tuch zurück. Er legte es mir auf die Stirn, ganz sanft, und sagte Worte, die ich nicht verstand. Ein paar Wassertropfen liefen mir in die Haare, über Hals und Wangen und hinter die Ohren. Ich hörte Musik und muss gefragt haben, wer da spielt. Ich erinnere mich an das Wort »Radio«. Ich erinnere mich, dass ich wieder in Nawa war und dass es schneite. Ich erinnere mich, wie mir meine Mutter übers Haar strich. Ich erinnere mich an den gütigen Blick meines toten Lehrers, daran, wie er ein Gedicht rezitierte und mich bat, es zu wiederholen, was mir allerdings nicht gelang. Dann bin ich eingeschlafen.

In kleinen Grüppchen verließ einer nach dem anderen das Haus, mit Ausnahme zweier Schmuggler. Auch der nette Mann mit den großen Händen ging fort. Ich wurde noch kränker, so dass ich an einige Tage gar keine Erinnerung mehr habe. Ich erinnere mich nur noch daran, wie es war, regelrecht zu glühen, an die Angst zu fallen, ins Bodenlose zu stürzen, ohne mich irgendwo festhalten zu können. Ich war so krank, dass ich mich kaum noch rühren konnte. Irgendjemand hatte Zement über meine Beine und Arme gegossen.

Eine Woche lang aß ich nur Wassermelonen. Ich hatte

Durst, solchen Durst! Ich hätte ununterbrochen trinken können, um jenen Brand zu löschen, den die Krankheit in meiner Kehle entfacht hatte.

Hier, nimm das.

Was ist das?

Mach den Mund auf. So. Jetzt trinken und schlucken.

Was ist das?

Bleib liegen. Entspann dich.

Die Schlepper konnten mich selbstverständlich nicht ins Krankenhaus oder zu einem Arzt bringen. Das ist das größte Problem als illegaler Einwanderer: Man ist illegal, auch wenn man ernsthaft krank ist und Hilfe braucht. Sie gaben mir Arzneimittel, die sie im Haus hatten. Kleine weiße Tabletten, die ich mit Wasser einnehmen sollte. Keine Ahnung, was das für ein Zeug war – ich konnte keine Fragen stellen, schließlich war ich ihnen als Kranker, Schuldner und Afghane gleich mehrfach ausgeliefert. Auf jeden Fall wurde ich am Ende wieder gesund. Nach einer Woche ging es mir besser. Eines Morgens befahl uns der Schlepper, unsere Sachen zu packen – worüber ich lachen musste, da wir nicht das Geringste besaßen – und ihm zu folgen.

Wir gingen zum Bahnhof von Kerman.

Es war das erste Mal, dass ich tagsüber durch iranische Straßen lief. Ich weiß noch, wie ich dachte, dass die Welt längst nicht so abwechslungsreich und geheimnisvoll ist, wie ich mir das in Nawa immer vorgestellt habe.

Der Bahnhof bestand aus einem länglichen, niedrigen Gebäude mit einer Treppe, einem Säulengang und einem Schild auf dem Dach, das zum Teil blau, zum Teil transparent war. Darauf stand in Gelb »Kerman Railway Station« und darunter dasselbe in Farsi, allerdings in Rot. Wir wurden von zwei belutschischen Schleppern erwartet, Partner unseres Schleppers, dessen Namen ich lieber nicht nennen will. Eine Gruppe Afghanen, die ich am ersten Tag in besagtem Haus gesehen hatte, war auch da.

Wir stiegen an verschiedenen Türen zu. Der Zug fuhr nach Qom. Das zwischen Isfahan und Teheran gelegene Qom ist eine bedeutende Stadt. Für schiitische Muslime ist es sogar eine heilige Stadt, weil dort die Grabmoschee mit dem Schrein von Fatima al-Masuma liegt. Ich befand mich jetzt auf schiitischem Boden. Und obwohl mir das im Grunde egal war, fühlte ich mich ein bisschen zu Hause oder hoffte zumindest, dass ich es dort sein würde. Ich sehnte mich nach einem Ort, an dem man mich gut behandeln würde – was im Grunde dasselbe ist.

Ich war euphorisch.

Ich war gesund.

Ich war bester Laune.

Es war ein schöner, sonniger Tag, Sufi und ich waren noch am Leben und im Iran.

Du sagst, dass du dich großartig gefühlt hast. Wegen des Fiebers warst du sogar gewachsen. Man sagt nämlich, dass Kinder wachsen, wenn sie Fieber haben, wusstest du das?

Ja.

Wie groß bist du jetzt, Enaiat?

Ich glaube, einen Meter fünfundsiebzig.

Und als du im Iran warst?

So groß, wie man als Elf- oder Zwölfjähriger eben ist, keine Ahnung. Wie groß ist man da?

Wie viel Zeit war da seit Beginn deiner Reise vergangen?

Du meinst, seit ich aus Nawa weg bin?

Ja.

Achtzehn Monate. Ja, ungefähr achtzehn Monate.

Und als du aufgebrochen bist, warst du zehn, haben wir gesagt.

Ja, Fabio, aber genau wissen wir es nicht.

Nein, genau wissen wir es nicht.

Tja.

Zu welcher Jahreszeit bist du in den Iran gekommen?

Im Frühling.

2001.

Genau.

Zumindest auf die Jahreszahlen ist Verlass.

Nein. Auf nichts ist Verlass, nicht einmal auf meine Erinnerungen.

Aber auf die Jahreszahlen schon, Enaiat. Die Zeit verstreicht überall auf der Welt gleich schnell.

Keine Ahnung, Fabio. Da wäre ich mir nicht so sicher.

Wir waren also unterwegs nach Qom und rasten mit einem Schnellzug quer durch den Iran. Durch einen Iran, der mir beim Blick aus dem Fenster so viel grüner vorkam als Pakistan oder Afghanistan. Ich weiß noch, dass es eine wunderbare Fahrt war. Wir reisten bequem, zusammen mit zig anderen Einheimischen: Parfümduft, ein Speisewagen und saubere, weiche Sitze, auf denen man schlafen konnte.

Unser Schlepper und seine Leute saßen drei oder vier Reihen hinter Sufi, mir und den anderen Afghanen, damit sie uns gut im Auge behalten konnten. Am Bahnhof von Kerman hatten sie uns kurz vor dem Türenschließen eingeschärft: Egal, was passiert, wir kennen uns nicht, verstanden? Ihr dürft auf keinen Fall sagen, dass ihr mit uns unterwegs seid. Wenn Polizisten zusteigen und euch auffordern, ihnen zu folgen, gehorcht ihr. Regt euch nicht auf, wenn sie euch zurück zur Grenze bringen. Wir werden euch dort wieder abholen, verstanden?

Wir sagten Ja und nickten. Sie sahen uns an und fragten noch einmal, ob wir sie verstanden hätten, und da sagten wir ein zweites Mal Ja, und zwar im Chor. Um auf Nummer sicher zu gehen, fragten sie uns noch ein drittes Mal.

Ich glaube, sie waren etwas nervös. Als dann der Kontrolleur kam, gingen sie sofort auf ihn zu und zeigten ihm Papiere: Ich glaube, sie haben ihm auch Geld gegeben.

In Qom stiegen wir aus. Für einige war die Reise hier zu Ende. Die Schlepper riefen ein paar Leute an, die sie abholten. Sufi, ich und noch ein paar andere stiegen dagegen in einen Bus, der zwischen Qom und Isfahan hin- und herpendelte. Ich glaube, unser Schlepper und der Fahrer kannten sich, denn als sie sich sahen, haben sie sich auf die Wange geküsst.

Auf halber Strecke wurde der Bus plötzlich langsamer. Sufi packte meinen Arm.

Du tust mir weh!, sagte ich. Was ist los?

Ich schob die Vorhänge zur Seite, die uns vor der Sonne schützten.

Schafe, sagte ich.

Was?

Schafe. Wir haben wegen einer Herde Schafe angehalten.

Sufi ließ sich in den Sitz zurückfallen und hielt sich die Ohren zu. Eine Stunde später sind wir in Isfahan angekommen.

Erstens: Ich bringe euch an einen von mir bestimmten Ort.

Zweitens: Ihr arbeitet dort, wo ich es sage.

Drittens: Die ersten vier Monate behalte ich euren Lohn ein.

So lautete unsere Abmachung. Es war zwar schön und gut, dass bisher alles glattgegangen war. Dass sie sich um mich gekümmert hatten, als ich krank war. Dass der Zug bequem und der Bus nicht von einem iranischen Kontrollposten, sondern nur von einer Herde iranischer Schafe aufgehalten worden war. Aber jetzt ging es darum, wo und mit welcher Arbeit Sufi und ich die nächsten vier Monate verbringen würden. Und deshalb kam mir das letzte Stück Weg vom Busbahnhof in Isfahan bis zu unserer Bestimmung – »Bestimmung« und »Bestimmungsort« klingen ähnlich, nicht wahr? – länger und gefährlicher vor als die ganze bisherige Fahrerei durchs Nirgendwo.

Als wir schließlich eine verlassene Gegend am südlichen Stadtrand erreichten, brachte uns der Schlepper zu einer Baustelle. Dort wurde ein vierstöckiges Wohnhaus errichtet, das allerdings unendlich lang war und zig gleich geschnittene Apartments enthielt, eines neben dem anderen. An den Arbeiten waren mehrere Firmen beteiligt, und jede hatte den Auftrag für einen Bauabschnitt erhalten. Es war sehr heiß. Wir liefen durch den Staub und umrundeten das Gebäude, bis ein großer Iraner mit kleinen Augen hinter einem Ziegelcontainer hervorkam und uns bat, ihm zu folgen.

Der Schlepper gab dem Iraner die Hand, wahrscheinlich war er der Bauleiter, denn er trug ein sauberes Hemd und hatte einen gepflegten Bart. Er stellte uns kurz vor, nannte nur unsere Namen, so als erwartete man uns bereits und hätte sich schon im Vorfeld geeinigt. Dann drehte er sich zu uns um und sagte: Passt auf!

Mehr nicht. Anschließend nahm er seine Tasche und ging.

Der Bauleiter kratzte sich am Kopf und fragte: Was könnt ihr?

Nichts, sagten wir, denn ehrlich währt am längsten.

Das dachte ich mir, erwiderte der Bauleiter. Kommt mit.

Sufi und ich sahen uns an und folgten ihm.

Das Gebäude war ein Rohbau ohne Türen und Fenster. Der Bauleiter führte uns in eine Wohnung ohne Bodenfliesen – der Boden bestand aus grobem Estrich. Hier wohnen unsere Arbeiter, sagte er. Ich ging in die Zimmermitte und sah mich um. Türen und Fenster waren mit Folie abgedichtet. Es gab weder Wasser noch Gas. Das Wasser, erklärte der Bauleiter, wird mit dem Tankwagen gebracht. Und zum Kochen benutzt ihr Gaskartuschen, die in einem Geschäft ganz in der Nähe wiederbefüllt werden. Ein mit Klebeband befestigtes Elektrokabel führte an der Hauswand nach oben, kam zum Fenster herein, verlief quer über die Decke und endete in einer Glühbirne, die unweit der Tür herabhing.

Holt Sand!, befahl uns der Bauleiter. Von da hinten.

Wir kehrten mit je zwei Eimern Sand zurück, nur um zu zeigen, dass wir zwar klein, aber kräftig waren.

Schüttet ihn dort in die Ecke. Sehr gut. Glättet ihn mit dem Besen und rollt einen Teppich darauf aus. Einen von denen hier, genau. Rollt ihn aus. Hier werdet ihr schlafen, bis das Haus fertig ist. Dann ziehen wir weiter zu einer anderen Baustelle. Haltet Ordnung und denkt daran, dass ihr nicht alleine hier seid. Wer gut erzogen ist, nimmt Rücksicht auf die anderen, verstanden? Ihr werdet bald sehen, wie es hier mit dem Waschen, Essen, Beten und so weiter funktioniert. Wenn es Probleme gibt, sagt mir Bescheid, versucht nicht, sie allein zu lösen. So, und jetzt kommt mit runter in den Innenhof, stellt euch den anderen Arbeitern vor und tut, was ich euch sage.

Die Maurer, Zimmerleute, Elektriker auf dieser Baustelle hatten alle keine Papiere. Sie lebten dort, in den unfertigen Wohnungen des großen Rohbaus. Und das ganz bestimmt nicht, weil man so besser bauen oder arbeiten kann, obwohl das vielleicht auch zutrifft: Wenn man ein Haus baut, das einem zwar nicht gehört, sich aber so anfühlt, wächst es einem ans Herz, und man gibt sich mehr Mühe. Und wenn man keine Zeit mit Arbeitswegen verschwendet, kann man gleich nach dem Aufwachen loslegen und erst dann aufhören zu arbeiten, wenn man schlafen geht oder etwas isst – vorausgesetzt, man hat überhaupt noch die Kraft, etwas zu essen. Doch darum ging es gar nicht. Es war so geregelt, weil es das Sicherste war.

Niemand verließ je die Baustelle.

Die Baustelle war unsere Welt.

Die Baustelle war unser Sonnensystem.

In den ersten Monaten setzten weder Sufi noch ich je einen Fuß vor die Baustelle. Wir hatten Angst vor der iranischen Polizei, wir hatten Angst, in *Telisia* oder *Sang Safid* zu landen. Wer das nicht kennt, ist kein afghanischer Flüchtling, denn alle afghanischen Flüchtlinge wissen, was *Telisia* und *Sang Safid* sind: zwei berüchtigte Durchgangslager. Zwei Konzentrationslager, soweit ich weiß. Keine Ahnung, ob ich mich jetzt klar genug ausgedrückt habe, es sind auf jeden Fall Orte ohne jede Hoffnung.

In Afghanistan muss man nur ihre Namen aussprechen, und schon bekommt jeder Beklemmungen. Die Sonne verdunkelt sich, und die Bäume verlieren ihre Blätter. Die Lagerpolizei soll einen angeblich zwingen, mit einer Abdeckplane in die Berge zu gehen. Ganz weit oben wird man dann in die Plane geschnürt und in den Abgrund gerollt.

Als ich noch in Afghanistan war, bin ich einmal zwei Jungen begegnet, die verrückt geworden waren. Sie führten Selbstgespräche und machten sich in die Hosen. Irgendjemand hatte mir erzählt, dass sie in *Telisia* oder *Sang Safid* gewesen waren.

Etwa drei Tage nach Sufis und meiner Ankunft bekam ich mit, wie einige Arbeiter darüber diskutierten, wer wo was tun solle. Ich kam gerade mit einem Eimer in der Hand an ihnen vorbei und blieb stehen, um zuzuhören.

Wer soll wohin gehen?, fragte ich.

Einkaufen.

Einkaufen? Draußen?

Hast du irgendwo auf der Baustelle Geschäfte gesehen, Enaiat *jan*? Jede Woche muss einer von uns einkaufen gehen, erklärte mir einer der Älteren. Ich war in den letzten Wochen schon dreimal einkaufen. Jetzt ist Khaled dran. Er war erst einmal.

Ja. Aber vor drei Wochen. Seit wann ist eigentlich Hamid nicht mehr draußen gewesen, he? Seit zwei Monaten, wenn nicht sogar länger!

Das stimmt nicht. Ich war letzten Monat einkaufen, weißt du das nicht mehr?

Der Staub hat dir das Hirn vernebelt, Hamid.

Wie dem auch sei: Einmal in der Woche kaufte jemand, der schon länger da war und sich in der Stadt auskannte, für alle ein. Er nahm ein Taxi und besorgte, was wir so brauchten, und zwar in einem ganz bestimmten Laden, der so gut wie alles vorrätig hatte. Der Inhaber war ein Freund. Danach kehrte man sofort zurück, ohne auch nur einen Chai zu trinken oder ein Brot zu essen. Die Ausgaben wurden geteilt. Man kochte gemeinsam, man aß gemeinsam, man spülte gemeinsam ab. Jeder hatte seine Aufgabe, jeder kam einmal dran.

An jenem Tag ist schließlich Hamid gegangen. Ich sah, wie er ins Taxi stieg, und rief ihm zu: Viel Glück, Onkel Hamid. Pass auf die Polizei auf!

Und du, pass auf den Brennkalk auf! Der Sack ist undicht.

Der Kalk rieselte mir auf die Schuhe. Ich rannte zum Bauleiter.

Gegen Abend hielt ich mich in der Nähe des Tors auf und wartete auf Onkel Hamid. Ich war mir sicher, dass man ihn geschnappt hatte – und sah ihn schon in einer Abdeckplane die Berge von *Telisia* hinunterrollen –, als ich eine Staubwolke hinter der Kurve aufsteigen sah. Dasselbe Taxi, in das er am Morgen gestiegen war, raste die Baustellenabzäunung entlang und kam vor mir zum Stehen. Der Kofferraum war voller Tüten. Ich half, ihn auszuräumen und die Tüten nach oben zu tragen.

Danke, Enaiatollah *jan*.

Gern geschehen, Onkel Hamid. Ist alles gut gegangen? Hast du Polizei gesehen?

Nein, ich habe niemanden gesehen. Alles ist gut gegangen.

Hast du Angst gehabt?

Hamid, der gerade Reisschachteln und Gemüse aufeinanderstapelte, erstarrte.

Ich habe niemals Angst, Enaiat, sagte er. Und ich habe ständig Angst. Ich kann das eine gar nicht mehr vom anderen unterscheiden.

Hast du nie etwas von Isfahan gesehen, Enaiat?

Nein.

Es soll wunderschön sein.

Ich habe mir mal Fotos im Internet angeschaut. Auf vie-

len sieht man den Platz, der dem Imam Khomeini gewidmet
ist, die Scheich-Lotfollah-Moschee und die Shahrestan-Brü-
cke. So habe ich auch erfahren, dass die Ruinen von Bam
gar nicht so weit entfernt sind. Die Zitadelle war das größte
Lehmziegelbauwerk der Welt. Ein Erdbeben hat sie zerstört,
kurz nachdem ich wegging.

Das müssen wunderschöne Orte sein.

Aber ich wusste das damals nicht. Es gibt ein iranisches
Sprichwort, das besagt: Isfahan nesf-e jahan, was bedeutet:
Isfahan ist die Hälfte der Welt.

Genau. Auch die Hälfte der deinen, Enaiat?

Ich muss die Wahrheit sagen, denn wenn einer der Männer, die ich in Isfahan kennengelernt habe, dieses Buch
liest, soll er es wissen, denn vermutlich habe ich es niemals ausgesprochen: Es ging mir gut, dort auf der Baustelle. Also, danke noch mal!

Wir haben hart gearbeitet, das schon. Wir haben ständig
gearbeitet, gut und gern elf, zwölf Stunden am Tag. Aber es
gab auch nichts, was wir sonst hätten tun können.

Auch mit der Bezahlung hat alles gut geklappt. Nach
vier Monaten händigte der Bauleiter das Geld wie vereinbart nicht mehr dem Schlepper, sondern uns aus.

Ich erinnere mich noch an meinen ersten Lohn: zwei-
undvierzigtausend *Toman*.

Nachdem ich meinen Anteil an den monatlichen Ein-
käufen bezahlt hatte, blieben noch fünfunddreißigtausend übrig. Das sind ungefähr fünfunddreißig Euro, wenn
man davon ausgeht, dass tausend *Toman* damals einen

Euro wert waren. Die Fünfunddreißigtausend bestanden aus lauter Scheinen. Damals habe ich die Baustelle zum ersten Mal verlassen. Ich schaute sorgfältig um jede Ecke und drückte mich an den Häuserwänden entlang. Obwohl ich Angst hatte, schlich ich mich heimlich fort, betrat ein Geschäft in der Nähe und ließ mir sämtliche Scheine in Münzen wechseln, denn so sahen sie nach noch mehr Geld aus. Ich fand eine abschließbare Geldkassette, um sie darin aufzubewahren. Wenn ich mich abends nach der Arbeit in meiner Ecke ausstreckte, öffnete ich die Geldkassette, nahm die Münzen heraus und zählte sie – eins, zwei, drei –, obwohl ich sie schon milliardenmal gezählt hatte. Scheine lassen sich leichter zählen, aber die Münzen konnte ich zu gewaltigen Türmen aufstapeln.

Als das Geld immer mehr wurde – schließlich erhielt ich jeden Monat meinen Lohn, und es gab nicht viele Möglichkeiten, ihn auszugeben – und meine Spargroschen nicht mehr in die Kassette passten, dachte ich mir ein anderes System aus: Ich nahm die Scheine, steckte sie in eine Plastiktüte, die ich sorgfältig mit einem Gummiband verschloss, und vergrub sie an einem geheimen Ort auf der Baustelle. Ich wickelte die Tüte straff um das Geld, damit es nicht nass oder von Mäusen angenagt wurde.

Ich gehe fort, sagte Sufi eines Abends zu mir. Isfahan ist zu gefährlich.

Und wohin?

Nach Qom.

Wieso nach Qom? Was ist in Qom anders als in Isfahan?

In Qom leben viele Afghanen. Sie arbeiten in den Steinfabriken und halten fest zusammen.

Er wollte mich im Stich lassen. Ich traute meinen Ohren kaum. Du kannst unmöglich fortgehen!, sagte ich.

Komm doch mit.

Nein, ich fühle mich wohl auf der Baustelle.

Dann werde ich eben alleine gehen.

Wer hat dir das überhaupt erzählt, das mit den Afghanen in Qom? Was, wenn es gar nicht stimmt?

Ein paar Jungs, die hier für eine andere Firma arbeiten. Sie haben mir auch eine Telefonnummer gegeben. Hier, schau!

Er zeigte mir einen Zettel. Darauf stand mit grünem Filzstift eine Nummer. Ich bat Onkel Hamid um einen Kugelschreiber und trug sie in mein Heft ein, das er mir als Geschenk aus dem Laden mitgebracht hatte. Ein Heft mit einem schwarzen Umschlag, in dem ich alles notierte, was ich anschließend getrost vergessen konnte. Schließlich hatte ich es mir ja aufgeschrieben. Onkel Hamid war es auch, der mir beibrachte, besser zu lesen und zu schreiben.

Als ich am nächsten Morgen wach wurde, war Sufi verschwunden.

Danach glaubte ich, dass Schlafen ein Fehler ist. Dass man nachts besser wach bleibt, damit die Menschen, die einem nahestehen, nicht plötzlich verschwinden.

Wie sehr dir jemand fehlt, merkst du an Kleinigkeiten.

Sufis Abwesenheit machte mir vor allem nachts zu schaffen, wenn ich mich im Schlaf umdrehte und ihn nicht mehr neben mir fand. Und er fehlte mir auch tagsüber in den Arbeitspausen, in denen wir jetzt nicht mehr gemeinsam mit Steinen auf Gläser, Eimer und so was zielten.

Eines Abends kehrte ich besonders traurig von der Arbeit zurück und setzte mich vor einen kleinen Schwarz-Weiß-Fernseher. Es war einer, bei denen man die Antenne von Hand einstellen musste, womit man mehr Zeit verbrachte als mit dem Fernsehen selbst. Auf einem Kanal lief ein Film, in dem zwei große Türme einstürzten. Ich schaltete um, aber da lief derselbe Film. Ich schaltete noch einmal um, mit demselben Ergebnis. Da sagte Onkel Hamid, dass das kein Film sei. Dass in Amerika, in New York, zwei Flugzeuge ins World Trade Center geflogen seien. Erst hieß es, es wären Afghanen gewesen. Später, dass es Osama Bin Laden war, den die Afghanen schützten. Al-Qaida, hieß es.

Ich hörte ein wenig zu, aß dann meine Suppe und legte mich schlafen. Der Vorfall mag schlimm gewesen sein – heute weiß ich, dass er schlimm war –, aber damals gab es für mich nichts Schlimmeres, als von Sufi getrennt zu sein. Wenn du keine Familie mehr hast, bedeuten dir Freunde alles.

Die Zeit verging. Sekunden, Minuten, Stunden, Tage, Wochen, Monate. Mein Leben verstrich. Ich hätte mir gern eine Armbanduhr gekauft, um ein Gefühl dafür zu entwickeln. Eine Uhr könnte mir die Zeit, das Datum, das Wachstum von Nägeln und Haaren anzeigen und mir sagen, um wie viel ich alterte.

Dann kam der Tag, ein besonderer Tag, an dem wir unseren Gebäudeabschnitt fertigstellten. Es gab nichts mehr zu tun, alles war montiert worden, einschließlich der Türklinken. Jetzt mussten die Wohnungen nur noch ihren Eigentümern übergeben werden. Also sind wir umgezogen und haben woanders gearbeitet. Die beiden Inhaber der Baufirma haben sich getrennt, und ich bin bei dem geblieben, der mir sympathischer war.

Wir zogen in ein Dorf am Stadtrand von Isfahan, das Baharestan heißt. Ich beherrschte meine Arbeit immer besser, also das Hochziehen von Häusern und so. Man übertrug mir öfter Aufgaben, die Spezialkenntnisse und Verantwortungsgefühl erforderten. Zumindest sagte man mir das, vielleicht auch nur, um mich auf den Arm zu nehmen: Zum Beispiel sollte ich Baumaterial an einem Seil in die oberen Stockwerke ziehen.

Ich stellte mich tatsächlich geschickter an, alle vertrauten mir. Trotzdem war ich immer noch genauso klein wie vorher. Und so kam es, dass das Baumaterial, noch während ich am Seil zog, plötzlich schwerer wurde als ich. Die Last begann zu sinken, und ich wurde in die Höhe gehoben. Alle lachten, und bevor jemand kam, um mir zu helfen, ließen sie mich eine Weile wie wild schreien und zappeln. Dabei durfte ich die Last nicht loslassen, denn wenn sie zu Bruch gegangen wäre, wäre das natürlich meine Schuld gewesen.

Aber das Beste, gewissermaßen meine eigene kleine Revolution, war, dass ich begann, die Baustelle manchmal zu verlassen. Zum einen, weil Baharestan nur ein kleines Dorf und weitaus weniger gefährlich war als Isfahan. Zum anderen, weil ich inzwischen gut Farsi* gelernt hatte. Viele Leute im Dorf waren sehr nett zu mir, vor allem Frauen.

Wenn ich Frauen sah, die mit vollen Taschen vom Einkaufen kamen, bot ich ihnen an, die Taschen die Treppe hochzutragen. Sie vertrauten mir, strichen mir über den Kopf und schenkten mir sogar manchmal Süßigkeiten. Ich träumte schon davon, hier alt zu werden, glaubte, endlich ein neues Zuhause gefunden zu haben.

Sie hatten mir den Spitznamen *Filfil* gegeben, »Chilischote«. Der Ladenbesitzer, bei dem ich ab und zu einkaufte und Eis holte, sagte immer *filfil mago ci resa, bokhor bibin ci tesa*, was mehr oder weniger bedeutet: »Sag nicht, die Chilischote ist klein, probier lieber, wie scharf sie ist.« Dieser Mann war schon etwas älter, und ich habe mich prächtig mit ihm verstanden.

Nach ein paar Monaten beschloss ich, Sufi zu besuchen.

Seit seiner Abreise hatte ich nicht mehr mit ihm gesprochen, aber Bekannte, die in derselben Firma wie er in Qom gewesen waren, hatten mir von ihm berichtet.

Das Heft mit seiner Telefonnummer hatte ich gehütet

---

* *Kleine Anmerkung zur Sprache. Wer sich nicht dafür interessiert, kann ruhig weiterlesen: In den folgenden Zeilen kommt niemand ums Leben, und man verpasst auch nichts, was für den weiteren Verlauf der Geschichte wichtig wäre. Mein Sprachproblem bestand darin, dass ich nicht gut Iranisch sprach. Die beiden Sprachen Farsi und Dari – die übrigens auf der letzten Silbe betont werden, also Farsì und Darì – ähneln sich zwar, aber das im Iran gesprochene Farsi unterscheidet sich sehr von dem in Afghanistan gesprochenen Dari (einem orientalischen Dialekt des Farsi). Geschrieben wird es genau gleich, aber völlig anders ausgesprochen. So viel dazu.*

wie einen kostbaren Schatz, und eines Nachmittags rief ich in der Fabrik an. Eine Sekretärin war dran.

Sufi wer?, fragte sie. In unserer Firma arbeitet kein Sufi.

Gioma, sagte ich dann. Gioma, nicht Sufi.

Gioma Fausi?, fragte die Sekretärin.

Ja, genau der.

Wir grüßten uns verlegen, so am Telefon. Aber trotz seiner üblichen Abgeklärtheit spürte ich, dass er genauso gerührt war wie ich.

Ich versprach, ihn zu besuchen.

Und so nahm ich an einem heißen, windstillen Vormittag den Bus nach Qom. Weil ich schon so lange im Iran lebte und mir noch nie etwas zugestoßen war, dachte ich gar nicht daran, dass schon eine einfache Polizeikontrolle genügt hätte, um mich in Schwierigkeiten zu bringen. Aber wie so oft, wenn man keine Angst hat, ging alles gut.

Sufi holte mich vom Busbahnhof ab. In den letzten Monaten waren sowohl er als auch ich gewachsen (er allerdings mehr). Bevor wir uns erkannten, musterten wir uns erst für ein paar Sekunden aus der Ferne.

Dann umarmten wir uns.

Ich blieb eine Woche in Qom. Ich schlief heimlich in der Fabrik, und wir zogen durch die Stadt und spielten mit anderen afghanischen Jungen Fußball. Es war wirklich schön dort, aber ich wollte nicht umziehen – nicht jetzt, wo ich eine neue Heimat gefunden hatte. Also kehrte ich nach der einen Woche, die ich mir freigenommen hatte, wieder nach Baharestan zurück.

Genau rechtzeitig, um abgeschoben zu werden.

Es geschah mitten am Tag. Wir waren bei der Arbeit. Ich wollte gerade Putz anrühren, mischte Kalk und Zement und sah weder nach rechts noch nach links, sondern nur in den Eimer und in mich hinein – das passiert mir manchmal, dass ich in mich hineinsehe –, als ich Autos kommen hörte. Ich dachte, das wären die Lieferanten, der Bauleiter erwartete sie bereits.

Im Iran stehen die Häuser dicht nebeneinander und teilen sich einen Innenhof. Zu diesem Hof gibt es nur zwei Zugänge, und die Polizei kam über beide. Strategisch geschickt – Polizisten kennen jede Menge Strategien – blockierten zwei Wagen und ein Laster den einen Zugang, während ihre Leute außen herumliefen und durch den anderen kamen.

Flucht war unmöglich. Es hat auch keiner versucht. Wer gerade Ziegel und Maurerkelle in der Hand hielt, ließ Ziegel und Maurerkelle sinken. Wer gerade auf dem Boden kniete, um elektrische Leitungen zu verbinden, ließ sie liegen und stand auf. Wer gerade Nägel einschlug, einen Hammer in der Hand und Nägel im Mund hatte, um sich nicht jedes Mal nach der Schachtel bücken zu müssen, hörte auf zu hämmern. Er spuckte die Nägel in den Sand und folgte den Polizisten wortlos.

Telisia. Sang Safid.

Als ich sah, wie sich die Polizisten auf der Baustelle postierten, schrien und ihre Waffen auf uns richteten, konnte ich nur noch an diese beiden Wörter denken:

Telisia. Sang Safid.

Mir fielen die verrückten Jungen wieder ein, denen ich in Afghanistan begegnet war.

Ein Polizist befahl mir, alles stehen und liegen zu lassen und mitzukommen. Sie trieben uns auf dem Hof zusammen, führten uns dann einzeln durch den mit Autos blockierten Zugang hinaus und verluden uns auf den Laster.

Dann schnappten sie sich Onkel Hamid, und ich hatte Angst, dass sie ihn vor unseren Augen töten würden, um uns zu zeigen, dass sie die Macht dazu hatten, wenn sie nur wollten. Stattdessen sagten sie zu ihm: Hol das Geld.

Onkel Hamid ging quer über den Hof ins »Haus« . Wir warteten schweigend. Als er zurückkam, hatte er einen Umschlag mit genügend Geld für unsere Rückreise nach Afghanistan dabei. Wird man im Iran ausgewiesen, muss man die Heimreise nämlich selbst bezahlen. Der Staat kommt nicht dafür auf. Werden gleich mehrere geschnappt wie in unserem Fall, hat man Glück: Denn dann schickt die Polizei einen los, der das Geld für die Heimreise aller holt. Wird man dagegen allein geschnappt, kann man die Reise bis zur Grenze meist gar nicht bezahlen. Und dann hat man wirklich ein Problem und kommt ins Durchgangslager, wo man sich das Geld für die Rückkehr wie ein Sklave verdienen muss. Man wird gezwungen, alles zu putzen, was schmutzig ist – und ich rede hier vom schmutzigsten Ort der Welt, anders kann ich das gar nicht beschreiben. Ein Ort, der, selbst hochdruckgereinigt, immer noch das größte Drecksloch der Welt bliebe. Eines, in dem sich nicht einmal eine Kakerlake wohlfühlen würde.

Wer nicht zahlt, riskiert, dass das Durchgangslager seine neue Heimat wird.

Wir haben damals bezahlt. Aber das war noch nicht alles. Auf dem Laster vertraute mir Onkel Hamid später an, dass er beim Geldholen noch zwei von uns entdeckt hätte, die gerade das Abendessen vorbereiteten und so der Razzia entgangen waren. Er hatte sie gebeten zu bleiben und unsere Sachen zu bewachen, bis wir wiederkämen.

Vorausgesetzt, man brachte uns nicht nach *Telisia*. Oder nach *Sang Safid*.

Zum Glück brachte man uns woandershin.

Im Lager scherten sie uns den Kopf kahl, damit wir uns nackt fühlten. Damit auch ja jeder merkte, dass wir als Illegale im Iran gewesen waren und dass man uns abgeschoben hatte. Sie lachten, während sie uns die Köpfe kahl scherten. Sie lachten, und wir wurden zusammengetrieben wie die Schafe. Um nicht zu weinen, sah ich zu, wie meine Strähnen zu Boden fielen: Haare sehen komisch aus, wenn sie nicht mehr auf dem Kopf sind.

Danach verluden sie uns wieder auf Lastwagen. Wir rasten in einem Affenzahn davon – der Fahrer muss bewusst nach Schlaglöchern Ausschau gehalten haben, denn sonst wäre es unmöglich gewesen, so viele zu erwischen. Wahrscheinlich gehörte diese Behandlung fest zur Abschiebung dazu. Ich machte eine entsprechende Bemerkung, aber niemand lachte. Irgendwann rissen sie die Türen auf und schrien, dass wir aussteigen sollten, wir wären da: In Herat, Afghanistan. Hätten sie einen Kipplader wie für den

Kiestransport gehabt, hätten sie uns hinuntergekippt. Stattdessen beschränkten sie sich darauf, uns ein paar Stockschläge mitzugeben.

Herat ist der grenznahste Ort zum Iran. Jeder von uns hat so schnell wie möglich seine erneute Einreise organisiert, was kein Problem war. Die Stadt ist voller Schlepper, die nur auf die Abgeschobenen warten. Man hat kaum Zeit, sich von den Polizisten verprügeln zu lassen, da taucht schon jemand auf, der einen wieder in den Iran bringt.

Wenn man kein Geld hat, kann man auch später zahlen. Die Schlepper wissen, dass man irgendwo Geld versteckt hat, wenn man eine Zeit lang im Iran gearbeitet hat. Und wenn nicht, kann man es sich leihen, ohne dass man vier Monate lang arbeiten muss, wie es Sufi und mir beim ersten Mal passiert ist.

Um in den Iran zurückzukehren, bestiegen wir wieder einen Toyota-Laster. Aber diesmal war die Fahrt gefährlicher, da wir die Straße nahmen, die auch die Schmuggler für ihre illegalen Transporte nutzten. Auch in unserem Toyota befanden sich Drogen. Wer im Iran mit mehr als einem Kilo Opium erwischt wird, wird gehängt. Viele Grenzpolizisten sind natürlich korrupt und lassen die durch, die zahlen. Doch wenn man auf einen trifft, der es ernst meint (und davon gibt es einige), ist man so gut wie tot.

Wir erwischten die Korrupten und kehrten nach Baharestan zurück. Ich ging sofort zur Baustelle und suchte nach Onkel Hamid, der allerdings noch nicht zurückgekehrt war. Mein Geld war dort, wo ich es vergraben hatte.

Die beiden dagebliebenen Arbeiter hatten es gut bewacht. Trotzdem war es einfach nicht mehr so wie vorher. Isfahan wäre nicht mehr sicher, hieß es, nicht einmal Baharestan. Die Polizei hätte den Befehl, alle abzuschieben. Also rief ich Sufi in Qom an, in jener Fabrik, wo er Steine bearbeitete. Bei ihm sei momentan noch alles ruhig, sagte er. So beschloss ich, zu ihm zu fahren. Ich wartete, bis Onkel Hamid kam, um mich zu verabschieden, packte meine Sachen und ging zur Bushaltestelle.

Wie kann man so mir nichts, dir nichts sein Leben ändern, Enaiat? Sich an einem ganz normalen Vormittag von allem verabschieden?

Man tut es einfach, Fabio, und denkt nicht weiter darüber nach. Der Wunsch auszuwandern entspringt dem Bedürfnis, frei atmen zu können. Die Hoffnung auf ein besseres Leben ist stärker als alles andere. Meine Mutter zum Beispiel wusste, dass ich ohne sie in Gefahr bin. Aber dafür war ich unterwegs in eine andere Zukunft. Und das war besser, als in ihrem Beisein stets in Gefahr zu sein und ständig in Angst leben zu müssen.

Im Bus setzte ich mich ganz allein nach hinten, die Tasche fest zwischen den Beinen, ohne mich mit irgendjemandem zusammenzutun – mit keinem Schlepper, meine ich. Ich hatte keine Lust, schon wieder Geld auszugeben, nur um reibungslos ans Ziel zu kommen. Schließlich hatte ich Sufi schon einmal in Qom besucht, und alles war gut gegangen. Es war ein schöner Tag, und ich machte es mir auf meinem Sitz gemütlich und lehnte den Kopf gegen die Scheibe, um etwas zu schlafen. Ich hatte mir eine iranische Zeitung gekauft. Wenn ich bei einer Kontrolle mit einer iranischen Zeitung im Schoß gesehen würde, glaubten die Polizisten bestimmt, mit mir wäre alles in Ordnung. Ein verschleiertes Mädchen, das wunderbar duftete, setzte sich neben mich. Drei Minuten später fuhren wir los.

Wir hatten bereits die Hälfte der Strecke hinter uns – zwei Frauen plauderten mit dem Mädchen neben mir und sprachen über eine Hochzeit, auf der sie gewesen waren; ein Mann las ein Buch, während ein kleines Kind neben ihm (sein Sohn vielleicht) ein Liedchen trällerte, eine Art Zungenbrecher – wir hatten also bereits die Hälfte der Strecke hinter uns, als der Bus bremste. Erst behutsam, dann immer stärker, bis er schließlich zum Stehen kam.

Eine Schafherde, dachte ich und fragte: Was ist los?

Von meinem Platz aus konnte ich nichts erkennen. Das Mädchen sagte: Polizeikontrolle.

Telisia. Sang Safid.

Der Busfahrer drückte auf einen Knopf, woraufhin sich die Türen zischend öffneten. Eine Ewigkeit verging, die Luft war zum Schneiden, und niemand sprach – nicht einmal jene, die nichts zu befürchten hatten, weil sie Iraner waren oder eine Aufenthaltserlaubnis besaßen. Dann stieg ganz gelassen der erste Polizist ein. Zwischen den Fingern hielt er einen Bügel seiner Sonnenbrille, den anderen hatte er im Mund.

Die Polizisten hatten nicht vor, jeden zu kontrollieren: Sie sehen sofort, wer Iraner ist und wer nicht. Sie sind darin geschult, illegale Afghanen zu entdecken, und wenn sie einen ausgemacht haben, gehen sie zu ihm und befehlen ihm, seine Papiere vorzuzeigen, obwohl sie ganz genau wissen, dass er keine hat. Ich musste mich unsichtbar machen, besaß aber keine Zauberkräfte. Ich stellte mich schlafend, denn wenn man schläft, ist es ein bisschen so, als wäre man gar nicht da. Außerdem wirkt man harmlos, wenn man sich schlafend stellt, und kann sich einbilden, dass sich die Dinge von selbst erledigen. Aber der Polizist war nicht dumm, er sah mich trotzdem, obwohl ich schlief. Er zupfte an meinem Pulli. Ich stellte mich weiterhin schlafend, ja drehte mich sogar ein bisschen wie sonst auch, wenn ich schlafe. Der Polizist verpasste mir einen Tritt vors Schienbein, und da bin ich aufgewacht.

Komm mit, sagte er, sonst nichts. Er fragte mich nicht einmal nach meinem Namen.

Wohin?

Er gab keine Antwort, sondern sah mich nur an. Dann setzte er die Sonnenbrille auf, obwohl es im Bus dunkel war.

Ich nahm meine Tasche, entschuldigte mich bei dem Mädchen neben mir und bat es, mich vorbeizulassen. Dabei nahm ich wieder seinen wunderbaren Duft wahr. Ich ging den Gang hinunter und spürte, wie sich die Blicke in meinen Rücken bohrten und mir im Nacken brannten. Sobald ich einen Fuß auf die Straße gesetzt hatte, schlossen sich die Bustüren mit demselben pneumatischen Zischen wie vor wenigen Minuten, und der Bus fuhr ohne mich weiter.

Wir kamen zu einem kleinen Polizeirevier, vor dem ein Wagen parkte.

Telisia. Sang Safid.

Trommeln in der Nacht.

Telisia. Sang Safid.

Ich kann zahlen, sagte ich sofort. Ich kann die Abschiebung bezahlen. Schließlich hatte ich mein auf der Baustelle verdientes Geld dabei. Aber man wollte nichts davon wissen. Einer der Polizisten, ein riesiger Iraner, schubste mich durch eine Tür. Für den Bruchteil einer Sekunde stellte ich mir einen Folterkeller vor. Einen Brunnenschacht voller Totenschädel oder ein Loch, das bis zum Mittelpunkt der Erde reicht. Kleine schwarze Insekten, die an den Wänden entlangkrabbeln, und Säurespritzer an der Decke.

Was mich wohl in diesem Zimmer erwartete?

Eine Küche.

Mit einem Haufen schmutziger Teller und Töpfe.

Mach dich an die Arbeit, sagte der riesige Iraner. Da hinten sind Schwämme.

Ich brauchte Stunden, um den Kampf gegen die verkrusteten Reistöpfe zu gewinnen. Wer weiß, seit wie vielen Jahren sie schon auf mich gewartet hatten. Während ich Besteck und Teller spülte, kamen noch vier afghanische Jungen dazu. Nachdem wir mit der Küche fertig waren, nahmen sie uns mit, und wir mussten Autos und Laster ent- und beladen. Und das immer wieder: Sobald es einen Kofferraum oder einen Anhänger zu kontrollieren gab, riefen uns die Polizisten, und wir räumten ihn aus. Nach der Kontrolle riefen sie uns erneut: Kisten und Koffer mussten zurückgeräumt, Kartons aufeinandergestapelt werden und so weiter.

Dort blieb ich drei Tage. Wenn ich müde war, setzte ich mich auf den Boden, lehnte mich an die Wand und legte den Kopf auf die Knie. Wenn jemand auftauchte und es etwas zu ent- oder beladen gab, kam ein Polizist. Er gab uns einen Fußtritt und sagte: Los, aufwachen! Dann standen wir auf, und los ging's. Am Abend des dritten Tages ließen sie mich gehen. Keine Ahnung, warum. Die anderen vier Jungen mussten bleiben, ich habe sie nie wiedergesehen.

Ich erreichte Qom zu Fuß.

Wie ich später erfuhr, ist Qom eine Stadt mit mindestens einer Million Einwohnern. Aber wenn man sämtliche Illegalen in den Steinfabriken mitzählt, müssten es mindestens doppelt so viele sein. Die Steinfabriken sind überall. In einer davon fand ich mit Sufis Hilfe ebenfalls Arbeit, und zwar in der, in der auch er arbeitete.

Wie waren vierzig, fünfzig Personen. Man steckte mich in die Küche: Ich kochte die Mahlzeiten und ging einkaufen. Anders als in Isfahan, war ich in Qom der Einzige, der das Fabrikgelände verließ. Um einzukaufen, natürlich, was für mich äußerst gefährlich war. Aber das ließ sich nun mal nicht vermeiden.

Ich kochte nicht nur, sondern putzte auch das Büro des Fabrikdirektors und wischte dort Staub. Und wenn es sonst noch irgendetwas zu tun gab, zum Beispiel für einen Kranken einspringen oder Sachen umräumen, riefen sie mich. Sie riefen: Ena! Manchmal drehten sie sich nicht einmal nach mir um, sondern riefen mich nur, als stünde ich bereits vor ihnen. So als würde ich mich materialisieren, sobald man meinen Namen rief. Ich war ein Mädchen für alles, so sagt man doch?

In diese Fabrik kamen Gesteinsbrocken, die man mit riesigen Maschinen zuschneiden musste. Manche waren so groß wie unser Haus in Nawa. Es herrschte ein unbeschreiblicher Lärm, und überall war Wasser. Man trug Stiefel (das war Pflicht) und eine Plastikschürze. Manche trugen sogar noch Ohrenschützer. Aber bei dem vielen Wasser auf dem Boden und dem Steinstaub in der Luft war es schwer, gesund, ja überhaupt am Leben zu bleiben. Oder unversehrt.

Tatsächlich kam es hin und wieder vor, dass ein Arbeiter, der die Maschinen bediente – jene riesigen Maschinen, die die Steine wie Butter in Scheiben schnitten –, Gliedmaßen verlor: einen Arm, eine Hand, ein Bein. Wir arbeiteten sehr viel, manchmal vierzehn Stunden am Tag. Und wenn man müde ist, lässt die Konzentration nach.

Eines Tages kam ein etwas älterer afghanischer Junge auf mich zu und fragte: Wie heißt du?

Enaiatollah.

Kannst du Fußball spielen, Enaiatollah?

Doch, ich konnte Fußball spielen, auch wenn ich im *Buzul-bazi* besser war, was ich allerdings seit meiner Abreise aus Nawa nie mehr gespielt hatte. Ich sagte: Ja, ich kann Fußball spielen.

Wirklich? Dann komm morgen um fünf zum Tor. Es findet ein Turnier statt, und wir brauchen noch Spieler.

Ein Turnier?

Ja, zwischen den Fabriken. Ein Fußballturnier. Kommst du?

Klar komme ich.

Der nächste Tag war ein Freitag. Ich sage das deswegen, weil das Leben in der Steinfabrik ausschließlich aus Schlafen, Essen und Arbeiten bestand. Nur der Freitagnachmittag war frei. Dann wusch man seine Kleidung oder traf sich mit Freunden. Von diesem Tag an spielte ich in der Fußballmannschaft. Sie bestand aus lauter Afghanen, alles Arbeiter aus drei oder vier nahe gelegenen Fabriken. In den Steinfabriken arbeiteten mehr als zweitausend Afghanen.

Ich habe mich gut geschlagen bei diesen Turnieren, so gut es eben ging. Auch wenn ich manchmal müde war, weil meine Schicht bis zehn Uhr abends dauerte.

Ich war schon seit einigen Monaten in der Fabrik, als ich eines Nachmittags einen unglaublich schweren Stein hob und das Gleichgewicht verlor. Der mehr als zwei Meter lange Steinbrocken fiel zu Boden. Und während dieser riesige Stein auf dem Boden zerbarst und einen Knall verursachte, den man in der ganzen Fabrikhalle hören konnte, fiel ein Stück davon auf meinen Fuß.

Es zerfetzte mir die Hose, schlitzte mir den Stiefel, die Wade und den Fußrücken auf. Ich hatte eine tiefe Schnittwunde, bis auf den Knochen. Ich schrie, setzte mich und hielt mir das Bein. Einer der Fabrikleiter eilte herbei, um zu sehen, was los war. Er meinte, dieser Stein sei sehr wertvoll und wir müssten ihn unbedingt ausliefern, sonst würde das jemand den Kopf kosten. In der Zwischenzeit verlor ich Blut.

Steh auf!, befahl der Fabrikleiter.

Ich wies darauf hin, dass ich verletzt war.

Als Erstes müssen wir an den Stein denken. Sammle die Einzelteile auf. Sofort!

Ich bat darum, medizinisch versorgt zu werden.

Sofort, sagte er. Aber damit meinte er den Stein, und nicht meine medizinische Versorgung.

Ich begann, alles aufzusammeln, während ich auf einem Bein umherhüpfte, mir das Blut die Hose durchtränkte und aus meinem Stiefel quoll. Erstaunlicherweise bin ich nicht in Ohnmacht gefallen. Keine Ahnung, wie ich das geschafft habe, heute könnte ich das bestimmt nicht mehr. Ich sammelte sämtliche Teile auf und zog dann immer noch hüpfend los, um die Wunde zu desinfizieren und zu verbinden. Damit das überhaupt ging, musste ich ein Stück Haut abreißen. Ich habe noch heute eine Narbe davon. Eine Zeit lang war an Fußball nicht zu denken.

Wegen der Wunde arbeitete ich eine Weile nur in der Küche. Als ich eines Tages einkaufen ging, entdeckte ich in einem Schaufenster eine wunderschöne Uhr. Eine aus Gummi und Metall, die gar nicht teuer war. Wie gesagt, ich hatte mir oft eine Uhr gewünscht, um ein besseres Zeitgefühl zu bekommen. Eine Uhr mit Datumsanzeige, an der ich ablesen konnte, wie ich älter wurde. Als ich die Uhr im Schaufenster sah, zählte ich das Geld in meiner Tasche. Obwohl es nicht viel war, konnte ich sie mir leisten. Also habe ich den Laden betreten und es getan: Ich habe sie gekauft.

Als ich den Laden verließ, war ich ganz aus dem Häuschen vor Freude. Es war die erste Uhr meines Lebens! Ich betrachtete und bewunderte sie, drehte das Handgelenk, um das Zifferblatt in der Sonne funkeln zu lassen. Am liebsten wäre ich bis nach Nawa gelaufen, um sie meinem Bruder zu zeigen. Wie sehr er mich darum beneidet hätte! Aber ich konnte ja schlecht nach Nawa laufen, also rannte ich los, um sie im Schrein der Fatima al-Masuma segnen zu lassen. Das ist eine der heiligsten Stätten des schiitischen Islam, weshalb ich sie für hervorragend geeignet hielt, etwas segnen zu lassen, das mir so sehr am Herzen lag wie diese Uhr. Dieses Heiligtum befindet sich mitten in Qom. Ich streifte die Wand mit der Uhr, um sie zu heiligen, achtete aber darauf, dass sie nicht zerkratzt wurde.

Ich freute mich dermaßen über diese Uhr, dass ich mir sogar kurz einbildete, in Qom bleiben zu können – trotz der Gefahr, dort einen Finger oder sonst was zu verlieren.

Doch dann kam eines Nachts die Polizei in die Fabrik. Sie waren perfekt organisiert, hatten Laster dabei, die uns direkt zur Grenze brachten, ohne den Umweg über ein Durchgangslager zu nehmen. Und wieder wurde ich abgeschoben. Ich konnte es kaum fassen. Es war zum Verzweifeln! Die Polizei wusste, dass in der Fabrik viele Illegale arbeiteten. Sie hatte das Tor zur Lagerhalle aufgebrochen, in der wir schliefen, und uns mit Fußtritten geweckt.

Packt eure Sachen zusammen! Wir bringen euch zurück nach Afghanistan.

Ich schaffte es gerade noch, meine Sachen und den Umschlag mit Geld aus dem Spind zu holen, als sie mich auch schon fortschleiften. Wie üblich bezahlten wir die Abschiebung. Doch diesmal war die Fahrt auf dem Laster die reinste Hölle. Es fuhren so viele Menschen mit, dass diejenigen, die am Rand saßen, ständig riskierten herunterzufallen und unter die Räder zu kommen. Und die in der Mitte drohten zu ersticken. Schweiß. Keuchen. Schreie. Gut möglich, dass es auf dieser Fahrt Tote gab, ohne dass es irgendjemandem aufgefallen wäre.

Jenseits der Grenze lud man uns ab, so wie man Müll auf eine Mülldeponie kippt. Der Iran lag im Osten, dort würden mich wieder dieselben erbärmlichen Lebensumstände, dasselbe Leid wie zuvor erwarten. Kurz überlegte ich, nicht zurückzukehren, sondern stattdessen nach Westen zu gehen, dorthin, wo Nawa lag, wo meine Mutter, meine Schwester und mein Bruder lebten. Dann fielen mir die Worte des Mannes wieder ein, dem ich einen Brief an meine Mutter mitgeben wollte, als ich noch in Quetta lebte, also etwa drei Jahre zuvor. In jenem Brief bat ich sie, mich abzuholen. Aber der Mann hatte den Brief gelesen und gesagt: Enaiat, ich kenne eure Lage und weiß, was in der Provinz Ghazni geschieht, wie Hazara dort behandelt werden. Du kannst von Glück sagen, dass du hier bist. Hier geht es dir zwar schlecht, aber du kannst wenigstens morgens das

Haus verlassen, in der Hoffnung, abends lebend zurückzukehren. Dort weißt du nicht einmal, was zuerst dein Haus
erreicht: du oder die Nachricht deines Todes. Hier kannst
du unter Leute gehen und deine Waren verkaufen, während sich die Hazara in deinem Dorf nicht einmal auf der
Straße zeigen dürfen. Denn wenn sie Taliban oder Paschtunen über den Weg laufen, haben diese immer etwas an
ihnen auszusetzen: Entweder der Bart ist zu kurz, oder der
Turban sitzt falsch, oder aber nach zehn Uhr abends darf
kein Licht mehr im Haus brennen. Sie riskieren Tag für
Tag wegen nichts ihr Leben. Sie riskieren, wegen eines fal-
schen Wortes oder irgendeiner sinnlosen Regel ermordet
zu werden. Du solltest deiner Mutter dankbar sein, dass
sie dich aus Afghanistan herausgebracht hat. Denn es gibt
viele andere, die nichts lieber täten, aber nicht die Möglichkeit dazu haben.

Also habe ich die Hände in die Hosentaschen gesteckt,
tief Luft geholt und mir einen Schlepper gesucht.

Doch diesmal ging bei einer der Polizeikontrollen etwas
schief: Statt einfach die vereinbarte Summe zu nehmen,
begannen die korrupten Polizisten, uns auszuplündern.
Man sollte meinen, dass es gar nichts zu plündern gab,
schließlich waren wir alle arme Schlucker. Doch auch jemandem, der so gut wie gar nichts besitzt, kann man immer noch etwas wegnehmen. Ich zum Beispiel hatte meine
Uhr, an der ich mehr hing als an allem anderen. Natürlich
hätte ich mir von meinem Geld eine neue kaufen können,
aber das wäre einfach nicht dasselbe gewesen. Denn dann

hätte ich eine *andere* Uhr gehabt, diese hier war aber meine *erste* Uhr.

Ein Polizist zwang uns, uns nacheinander an die Wand zu stellen, und kontrollierte, ob wir auch alle unsere Taschen geleert hatten. Wenn er sah, dass sich jemand auffällig benahm, sich ohne Erlaubnis bewegte oder aussah wie jemand, der etwas zu verbergen hatte, stellte er sich vor ihn hin, starrte ihn an und spuckte Drohungen und Essensreste aus. Und wenn das immer noch nicht reichte, verteilte er Ohrfeigen oder Fußtritte. Als ich an die Reihe kam, wollte er schon zum Nächsten weitergehen, blieb dann aber stehen und machte noch einmal kehrt. Er baute sich breitbeinig vor mir auf und fragte: Was hast du? Was versteckst du vor mir?

Er war dreißig oder vierzig Zentimeter größer als ich. Ich starrte ihn an wie einen Berg.

Nichts.

Du lügst.

Ich lüge nicht.

Soll ich dir beweisen, dass du lügst?

Ich lüge nicht. Ich schwör's!

Ich glaube schon, dass du lügst.

Wenn es etwas gibt, das ich nicht ausstehen kann, dann geschlagen zu werden. Und da ich gesehen hatte, wie er andere verprügelte, überlegte ich, wie ich ihn irgendwie besänftigen könnte. In meinem Gürtelfutter bewahrte ich noch zwei Scheine auf. Ich nahm sie und gab sie ihm, in der Hoffnung, dass das genügte.

Daraufhin sagte er: Du hast noch etwas, stimmt's?

Nein, ich habe nichts mehr.

Er gab mir eine Ohrfeige. Sie traf meine Wange und mein Ohr. Ich sah seine Hand nicht einmal auf mich zukommen. Meine Wange brannte, und in meinem Ohr ertönte sekundenlang ein Pfeifen. Dann hatte ich das Gefühl, dass mein Ohr aufging wie ein Brotfladen.

Du lügst, sagte er.

Da ging ich auf ihn los, biss ihn in die Wange und riss an seinen Haaren – Quatsch, natürlich nicht, stattdessen hielt ich ihm mein Handgelenk hin.

Er verzog nur enttäuscht das Gesicht. Für ihn besaß die Uhr keinerlei Wert. Genervt nahm er sie mir ab und steckte sie in seine Tasche, ohne mich auch nur eines Blickes zu würdigen.

Dann ließen sie uns gehen.

Ich hörte sie in der Morgendämmerung lachen.

Als wir den Kontrollposten hinter uns hatten, fuhren wir noch ein paar Stunden bis zur nächsten Stadt. Aber inzwischen war klar, dass irgendetwas nicht stimmte. Und tatsächlich tauchte irgendwann ein Auto auf, ein Polizeiauto. Es bremste, so dass die Steine in alle Richtungen davonspritzten. Die Polizisten stiegen aus und schrien: Anhalten!

Da nahmen wir alle die Beine unter den Arm. Sie begannen, mit Maschinengewehren auf uns zu schießen, mit Kalaschnikows.

Ich rannte und hörte, wie mir die Kugeln um die Ohren pfiffen.

Ich rannte und dachte an die Drachenturniere in den Hügeln der Provinz Ghazni.

Ich rannte und dachte an die Frauen von Nawa, die den Reis mit Holzlöffeln umrühren.

Ich rannte und dachte, wie sehr mir jetzt doch ein Loch zupass käme, ein Erdloch wie das, in dem ich mich mit meinem Bruder vor den Taliban versteckt hatte.

Ich rannte und dachte an den *Sahib*, an Onkel Hamid und an Sufi. An den Mann mit den großen Händen und an das hübsche Haus in Kerman.

Ich rannte, und während ich rannte, wurde ein Mann neben mir getroffen. Ich glaube, er ist gestürzt und hat sich nicht mehr bewegt. In Afghanistan hatte ich viele Schüsse gehört. An ihrem Klang konnte ich eine Kalaschnikow von anderen Gewehren unterscheiden.

Ich rannte und überlegte, welches Gewehr wohl auf mich zielte. Ich war klein. Ich stellte mir vor, kleiner zu sein als die Kugeln, kleiner und schneller. Ich stellte mir vor, unsichtbar zu sein oder zumindest durchlässig wie Rauch. Als ich schließlich aufhörte zu rennen – da ich bereits ziemlich weit geflohen war –, kam mir der Gedanke fortzugehen. Ich wollte einfach keine Angst mehr haben.

Damals habe ich beschlossen, in die Türkei zu gehen oder es wenigstens zu versuchen.

Türkei

Inzwischen hatte ich einen Punkt erreicht, an dem es kein Zurück mehr gibt, wie es so schön heißt. Und zwar nicht einmal mehr in Gedanken. Ganze Tage, ja Wochen vergingen, ohne dass ich mein Heimatdorf in der Provinz Ghazni, meine Mutter, meinen Bruder und meine Schwester vor mir sah. Dabei war mir ihr Bild anfangs Tag und Nacht vor Augen gestanden. Seit dem Tag meines Aufbruchs waren ungefähr viereinhalb Jahre vergangen, davon ein gutes Jahr in Pakistan und drei Jahre im Iran. Aber auch das nur grob über den Daumen gepeilt, wie eine Marktfrau zu sagen pflegt, die in der Nähe meines jetzigen Wohnorts Zwiebeln verkauft.

Ich war fast vierzehn, vielleicht auch ein bisschen älter, als ich beschloss, den Iran zu verlassen: Ich hatte die Nase voll von diesem Leben.

Nach der zweiten Abschiebung war ich gemeinsam mit Sufi in den Iran zurückgekehrt. Aber da ihm Qom mittlerweile zu gefährlich geworden war, hatte er die Stadt wenige Tage später verlassen und Arbeit auf einer Baustelle in Teheran gefunden. Ich dagegen hatte beschlossen, noch eine Weile in der Steinfabrik zu arbeiten, dort richtig zu schuften und so gut wie nichts auszugeben, um genug Geld für meine Flucht in die Türkei zu sparen. Aber wie viel kostete es, in die Türkei aufzubrechen? Und dort auch anzukommen, denn aufbrechen kann schließlich jeder? Wie viel würde ich ausgeben müssen? Manchmal muss man nur fragen, um eine Antwort zu bekommen, und so erkundigte ich mich bei einigen Leuten, denen ich vertraute.

Siebenhunderttausend Toman.

Siebenhunderttausend Toman?

Ja, Enaiat.

Dafür muss ich zehn Monate arbeiten, sagte ich zu Wahid, der auch einmal mit dem Gedanken gespielt hatte, fortzugehen, sich aber dann dagegen entschieden hatte. Mein Lohn in der Fabrik beläuft sich auf siebzigtausend Toman im Monat, sagte ich. Das bedeutet, dass ich zehn Monate arbeiten muss, ohne auch nur das Geringste auszugeben.

Er nickte, rührte mit dem Löffel in der Kichererbsensuppe und pustete darauf, um sich nicht die Zunge zu verbrennen. Auch ich tauchte meinen Löffel ein. Winzige schwarze Samen schwammen vereinzelt auf dem Fettfilm sowie eingebrocktes Brot. Erst schob ich sie mit dem Löffel zur Seite und erzeugte so Wirbel und Strudel. Dann fischte ich sie heraus, verschlang sie und beendete meine Mahlzeit, indem ich direkt aus der Schüssel trank.

Woher sollte ich so viel Geld nehmen?

An einem Freitagnachmittag, der, wie bereits erwähnt, zu unserer freien Verfügung stand und den ich mit einem unaufhörlichen – oder heißt es endlosen? – Fußballturnier gegen die Mannschaften der nahe gelegenen Fabriken verbrachte, nun, an einem solchen Freitagnachmittag kam der Freund, mit dem ich beim Abendessen über die Schlepper gesprochen hatte. Er kam zu dem Stein, auf dem ich mich vor lauter Seitenstechen ausruhte, und fragte, ob ich kurz Zeit für ihn hätte.

Ich stand auf, denn er war nicht allein. Er hatte noch weitere Afghanen mitgebracht.

Hör zu, Enaiat. sagte er. Wir haben beschlossen, in die Türkei zu gehen. Wir haben genug Geld für uns, aber auch für dich gespart, falls du noch mitkommen willst. Wir tun das nicht nur, weil wir befreundet sind, sondern auch, weil es Erfolg versprechender ist, gemeinsam aufzubrechen. Dann ist im Notfall immer jemand da, den man um Hilfe bitten kann. Kurz verstummte er, weil die Mannschaft, die nach uns auf den Platz gegangen war, gerade ein Tor schoss und alles jubelte. Also, was sagst du?

Was ich dazu sage?

Ja.

Danke. Und dass ich einverstanden bin. Was soll ich sonst dazu sagen?

Das ist eine gefährliche Reise, das ist dir doch klar?

Natürlich.

Viel gefährlicher als alle bisherigen Reisen.

Der Ball prallte gegen den Stein und blieb direkt vor meinen Füßen liegen. Ich beförderte ihn mit einem Tritt zurück. Die Sonne hatte den Himmel regelrecht in den Schwitzkasten genommen, so dass sein Blau nicht mehr blau, sondern gelb war. Und die Wolken schimmerten golden und blutrot, wegen der Wunden, die ihnen die Berge zugefügt hatten. Ein Ort, wo man von Gesteinsbrocken erschlagen und von Schneemassen begraben wird.

Doch noch wusste ich nicht, dass Berge töten können.

Ich riss einen vertrockneten Grashalm aus und lutschte daran.

Ich habe noch nie das Meer gesehen, sagte ich. Es gibt so vieles, das ich noch nie gesehen habe, aber gerne sehen würde. Und da es auch hier, in Qom, gefährlich ist, auch nur einen Fuß vor die Fabrik zu setzen, kann ich nur sagen: Ich bin zu allem bereit.

Ich sprach mit fester Stimme, allerdings aus Unwissenheit. Hätte ich gewusst, was mich erwartete, wäre ich nicht aufgebrochen. Oder vielleicht doch? Keine Ahnung. Auf jeden Fall hätte meine Stimme anders geklungen.

Wir hatten gut zugehört, jeder von uns. Wir hatten den Schilderungen derer gelauscht, die aufgebrochen und zurückgekehrt waren, ja vielleicht nur überlebt hatten, um uns jede Menge Schauergeschichten über die zu erzählen, die es nicht geschafft hatten. Fast so, als ließe die Regierung ein oder zwei von jeder Karawane am Leben, damit sie den anderen Angst einjagen konnten. Manche waren in den Bergen erfroren, andere waren von Grenzpolizisten getötet worden und wieder andere in der Meerenge zwischen der Türkei und Griechenland ertrunken.

Eines Tages unterhielt ich mich in der Mittagspause mit einem Jungen, dessen eine Gesichtshälfte völlig entstellt war. Sie sah ungelogen aus wie Hackfleisch, wie die Hamburger bei McDonald's, die zu lange auf dem Grill gelegen sind.

McDonald's?
  Ja, McDonald's.
  Verrückt! Manchmal sagst du Sachen wie: Er war so groß wie eine Ziege, nur um dann plötzlich Vergleiche mit McDonald's oder Baseball anzustellen.
  Warum ist das verrückt?
  Weil beides so verschiedenen Kulturen, ja fast schon gegensätzlichen Welten entstammt. Zumindest in meinen Augen.
  Das mag schon sein, Fabio, aber inzwischen trage ich beide Welten in mir.

Der Junge erzählte mir, dass der Transporter, mit dem er durch Kappadokien gefahren sei, einen Unfall gehabt habe. In der Provinz Aksaray seien sie in der Kurve einer langen unbefestigten Bergstraße mit einem Zitronenlaster zusammengestoßen. Daraufhin sei er herausgeschleudert worden und habe sich das Gesicht aufgeschürft. Anschließend habe ihn die türkische Polizei festgenommen und verprügelt. Als man ihn dann den Iranern übergab, hätten die ihn ebenfalls verprügelt. Von seinem Traum, nach Europa (genauer gesagt nach Schweden) zu gehen, war nichts als ein blutiger Brei übrig geblieben. Er sagte: Ich würde dir ja Geld leihen, damit du fortgehen kannst. Aber ich leihe es dir nicht, weil ich nicht dafür verantwortlich sein will, wenn dir irgendwas passiert. Andere sagten genau dasselbe, aber ich weiß nicht, ob sie es ernst meinten. Vielleicht waren sie auch bloß geizig.

Doch mir reichte es schon, nur eine einzige gute Nachricht zu hören, der und der hat es geschafft, dem ist es geglückt, der ist in der Türkei/in Griechenland/in London, um wieder neuen Mut zu fassen. Wenn der das geschafft hat, schaffe ich das auch, dachte ich.

Vier von uns waren fest entschlossen fortzugehen. Dann erfuhren wir, dass auch Farid, ein Junge aus der Fabrik neben uns, vorhatte, Qom zu verlassen. Und nicht nur das: Der Schlepper, an den er sich gewandt hatte, war sein Cousin.

Diese Gelegenheit wollten wir uns nicht entgehen lassen. Wenn der Schlepper tatsächlich sein Cousin war, konnte man ihm trauen. Und wenn Farid mit uns reiste, würden wir uns ebenfalls mit dem Cousin anfreunden und entsprechend behandelt werden.

An einem Tag wie jedem anderen packten wir unsere Sachen in einen Stoffbeutel, forderten unseren Lohn ein, verabschiedeten uns vom Fabrikbesitzer und nahmen den Linienbus nach Teheran (wobei wir uns ständig vor Kontrollposten fürchteten). Am Bahnhof trafen wir den Cousin unseres Freundes, der uns bereits erwartete. Er brachte uns mit einem dieser überfüllten Taxibusse zu sich nach Hause.

Während wir im Esszimmer saßen und einen Chai vor uns hatten, teilte er uns mit, dass wir zwei Tage Zeit hätten, uns etwas Reiseproviant zu beschaffen – platzsparenden, aber nahrhaften Proviant wie Dörrobst, Mandeln und Pistazien. Außerdem sollten wir uns robuste Bergschuhe und warme, regenfeste Kleidung kaufen: Sie müsse unbedingt regenfest sein, betonte er. Darüber hinaus noch etwas bessere Kleidung für Istanbul. Wir konnten dort schließlich nicht in den zerrissenen, stinkenden Lumpen herumlaufen wie auf der Flucht. All das sollten wir kaufen, aber vor allem die Schuhe, darauf legte der Cousin unseres Freundes großen Wert.

Also klapperten wir die Basare ab, um unsere Besorgungen zu erledigen, und waren dabei unglaublich euphorisch. Nach unserer Rückkehr zeigten wir dem Schlepper die Schuhe, damit er sie guthieß. Er hob sie hoch, kontrollierte die Nähte, bog die Sohle, sah sie sich von innen und außen sorgfältig an und sagte dann, Ja, die seien prima.

Aber das stimmte nicht.

Er hat es nur gut gemeint, da bin ich mir sicher, wegen seines Cousins. Er hat es gut gemeint, weil er zu wissen glaubte, wie unsere Wanderung durch die Berge aussehen würde. Aber er hatte nicht die geringste Ahnung, da er nie dort gewesen war. Seine Aufgabe bestand nur darin, uns den anderen zu übergeben. Er war ein Mittelsmann, jemand, den wir nach unserer Ankunft in der Türkei anrufen mussten, damit unsere Freunde in Qom Bescheid wussten, dass wir gut angekommen waren, und den Schleppern das Geld aushändigten.

Während er die Schuhe ins Licht hielt, das durch das Fenster fiel, sagte er: Ihr werdet drei Tage unterwegs sein. Die Schuhe sind robust genug. Ein wirklich guter Kauf.

Am nächsten Morgen kam ein Iraner mit dem Taxi. Er brachte uns in ein Haus außerhalb der Stadt, in dem wir warteten. Nach einer Stunde kam ein Bus – der Fahrer war ein Komplize –, in dem Leute saßen, die nicht recht wussten, wo sie hier gelandet waren. Als er hupte, rannten wir hinaus, stiegen ein und sahen uns von lauter verwirrten Gesichtern von Frauen und Kindern umgeben. Es waren auch einige Männer dabei, die zaghaft protestierten, sie wurden allerdings schnell zum Schweigen gebracht.

Wir nahmen Kurs auf Täbris (ich weiß das, weil ich gefragt habe) und fuhren am Ufer des Urmiasees entlang Richtung Grenze. Der See liegt in der iranischen Provinz West-Aserbaidschan und ist der größte See des Landes. Bei Höchststand ist er hundertvierzig Kilometer lang und fünfzig Kilometer breit.

Ich war fast eingeschlafen, als mich ein Reisegefährte anstupste und sagte: Schau nur!

Was denn?, fragte ich, ohne die Augen zu öffnen.

Der See. Schau nur, der See.

Ich drehte den Kopf und schlug langsam ein Auge auf, die Hände zwischen die Knie geklemmt. Ich sah aus dem Fenster. Die tief stehende, untergehende Sonne beschien das Wasser, und man sah zig kleine Felseninseln im Gegenlicht. Und auf den Inseln – sowohl an Land wie in der Luft – kleine Punkte. Tausende von kleinen Punkten.

Was ist das?

Das sind Vögel.

Vögel?

Zugvögel. Das hat mir der Mann erzählt, der vor uns

sitzt. Stimmt's, das sind doch Vögel oder?, fragte er und tippte ihm auf die Schulter.

Flamingos, Pelikane und viele andere Arten, zählte der Mann vor uns auf. Auf einer dieser Inseln liegt Hülegü Khan begraben, der Neffe Dschingis Khans und Eroberer Bagdads. Sie sind also ausschließlich von Vögeln und Geistern bewohnt. Vielleicht liegt es daran, dass es in dem See keine Fische gibt.

Es gibt keine Fische?

Keinen einzigen. Das liegt an dem extrem salzigen Wasser. Es ist nur gut gegen Rheuma.

Als wir nach Salamas, die letzte iranische Stadt unweit der Berge, kamen, war es dunkel. Man befahl uns auszusteigen, zusammenzubleiben und leise zu sein. Ohne Taschenlampe oder andere Hilfsmittel liefen wir los.

Frühmorgens erreichten wir im weißen Licht des Sonnenaufgangs ein kleines Dorf.

Dort stand eine Hütte, die wir betraten, als gehörte sie uns. Dabei gehörte sie einer Familie und war eine Art Sammelpunkt für Illegale, die über die Berge wollten. Ein Grüppchen war bereits da, und mit der Zeit kamen noch mehr Afghanen. Am Ende waren wir dreißig. Wir hatten Angst. Wir wunderten uns, wie wir zu so vielen unbemerkt die Berge überqueren sollten. Wir fragten nach, bekamen aber keine Antwort. Als wir nicht lockerließen, gab man uns zu verstehen, dass es besser wäre, nicht weiterzufragen, und so blieben wir zwei Tage in diesem Versteck und warteten.

Am Abend des zweiten Tages hieß es bei Sonnenuntergang, wir sollten uns bereithalten. Wir gingen los, über uns ein Himmel voller Sterne und ein so riesiger Mond, dass man weder Lampen noch Fackeln, noch Eulenaugen brauchte. Man sah hervorragend. Wir liefen eine halbe Stunde durch die Felder, auf kleinen Wegen, die nur der sieht, der sie kennt. Am Ende unserer ersten Aufstiegsetappe tauchte hinter einem großen Felsen eine weitere Gruppe auf. Wir erschraken, und einer schrie, da wären Soldaten. Dabei waren es dreißig Illegale, und wir trauten unseren Augen kaum: Jetzt waren wir bereits zu sechzigst, sechzig Personen, die im Gänsemarsch auf Bergpfaden unterwegs waren. Aber das war noch nicht alles. Eine halbe Stunde später tauchte eine weitere Gruppe auf. Sie hatte dicht zusammengekauert auf uns gewartet. Als wir während einer kurzen Pause mitten in der Nacht nachzählten, waren wir siebenundsechzig Personen.

Sie trennten uns nach Nationalitäten.

Außer uns Afghanen – wir waren die Jüngsten – gab es auch Kurden, Pakistani, Iraker und den einen oder anderen Bengalen. Sie trennten uns, um Konflikte so weit wie möglich zu vermeiden. Schließlich liefen wir den ganzen Tag Schulter an Schulter und Ellbogen an Ellbogen nebeneinander her – mit unterschiedlich großen Schritten, aber im gleichen Tempo. Und wenn man sich so wie wir in einer dermaßen angespannten, heiklen Lage befindet, nur wenig zu essen und zu trinken und keine Möglichkeit hat, irgendwo Schutz zu suchen, obwohl es kalt, ja wirklich bitterkalt ist, muss man jederzeit mit Wortgefechten und Raufereien rechnen, vielleicht sogar mit Messer-stechereien.

Nach einer Stunde auf einem schlecht befestigten Pfad – wir hatten soeben die Hälfte des Hanges erklommen –, stellte sich uns ein Hirte mit seinem Hund in den Weg, der sich wie verrückt um sich selbst drehte, um sich in den Schwanz zu beißen. Der Hund, nicht der Hirte. Er wollte mit unserem Anführer sprechen, der nicht lange fackelte und ihm Geld gab, damit er uns nicht verriet. Der Hirte zählte betont langsam das Geld. Dann steckte er es sich unter den Hut und setzte seinen Weg fort.

Als ich ihn einholte, sah mir der Alte direkt in die Augen, als wollte er mir etwas sagen. Aber ich wusste nicht, was.

Nachts marschierten wir.

Tagsüber schliefen wir oder versuchten es zumindest.

Da uns der Schlepper, also der Cousin unseres Freundes in Teheran, gesagt hatte, dass die Reise drei Tage und drei Nächte dauern würde, wollten wir am Ende des dritten Tages wissen, wann wir den stets gleich weit entfernt wirkenden Gipfel erreichen und mit dem Abstieg in Richtung Türkei beginnen würden. Aber alle fürchteten sich, Fragen zu stellen, so dass jemand ausgelost wurde, und das war ich.

Ich ging zu einem der Schmuggler und fragte: *Agha*, wie weit ist es noch bis zum Gipfel?

Er antwortete, ohne mich anzusehen: Noch ein paar Stunden.

Ich kehrte zu meinen Freunden zurück und wiederholte: Noch ein paar Stunden.

Wir liefen bis kurz vor Tagesanbruch, dann legten wir eine Pause ein. Die Beinmuskeln waren hart wie Zement.

Bei Sonnenuntergang setzten wir unseren Weg wie gewohnt fort.

Er hat dich angelogen, sagte Farid.

Das habe ich auch schon gemerkt, sagte ich. Aber auch dein Cousin hat sich nur ziemlich vage über die Dauer unserer Reise geäußert.

Dann musst du eben jemand anders fragen.

Nach einer halben Stunde ging ich zu einem anderen Iraner, der eine Kalaschnikow umgehängt hatte, passte meine Schritte den seinen an und fragte: *Agha*, wie weit ist es noch bis zum Gipfel?

Ohne mich anzusehen antwortete er: Nicht mehr weit.

Was soll das heißen, nicht mehr weit?

Noch vor Tagesanbruch.

Ich kehrte zu meinen Freunden zurück und sagte: Es ist nicht mehr weit. Wenn wir zügig weitermarschieren, sind wir vor Tagesanbruch da.

Alle strahlten, aber niemand sagte etwas. Die Kraft, die man zum Sprechen braucht, steckte in den Atemwölkchen, die sich vor unseren Mündern bildeten. Wir ruinierten unsere Knie, bis die Sonne in der Richtung meines Elternhauses, also in Richtung Nawa, unterging. Der Berggipfel lag nur noch wenige Schritte, ja einen Katzensprung von uns entfernt. Wir umrundeten ihn, ohne dass er sich von der Stelle rührte. Wir ruhten uns aus. Als die Sonnenstrahlen die gezackten Bergkämme aufleuchten ließen, die aussahen wie die Wirbelsäule eines Toten, kam die Karawane zum Stehen. Alle suchten sich einen Felsen, in dessen Schatten sie ihren Kopf betten und ein paar Stunden schlafen konnten. Beine und Füße ließen wir in der Sonne, um sie zu wärmen und zu trocknen. Die Haut schälte sich, aber das ließ sich nicht ändern.

Bei Sonnenuntergang befahl man uns aufzustehen, und wir setzten unseren Weg fort. Es war die fünfte Nacht.

Agha, bitte, wie weit ist es noch bis zum Gipfel?

Ein paar Stunden, sagte er, ohne mich anzusehen.

Ich gesellte mich zu meiner Gruppe.

Was hat er gesagt?

Nichts. Halt den Mund und lauf!

Wir Afghanen waren die Jüngsten und am besten mit dem felsigen Gelände und der Höhe vertraut. Mit der Sonne, die einen versengt, und mit dem Schnee, der einen zu Eiszapfen gefrieren lässt. Aber dieser Berg hörte gar nicht mehr auf, er war das reinste Labyrinth. Der Gipfel stand uns stets vor Augen, blieb aber unerreichbar. Und so schmolzen zehn Tage und Nächte dahin wie Eisklumpen.

Als wir eines frühen Morgens gerade auf Händen und Füßen die Felsen hochkletterten, bekam ein bengalischer Junge Probleme. Was ihm genau fehlte, weiß ich nicht mehr, vielleicht hatte er Atemnot oder was am Herzen, auf jeden Fall glitt er im Schnee aus und rutschte mehrere Meter nach unten. Wir begannen zu schreien, dass einer von uns in Lebensgefahr sei. Dass wir stehen bleiben, ihm helfen, warten müssten. Aber die Schlepper (sie waren zu fünft) schossen nur mit den Kalaschnikows in die Luft.

Wer nicht sofort weitergeht, bleibt für immer hier, sagten sie.

Wir versuchten, dem jungen Bengalen zu helfen, ihm unter die Arme zu greifen, ihn zum Laufen zu bewegen, aber das war einfach zu viel: Er war zu schwer, und wir waren zu müde, es ging nicht. Wir ließen ihn im Stich. Als wir hinter einer Kurve verschwanden, hörte ich noch kurz seine Stimme, dann gar nichts mehr: Der Wind hat seine Rufe verschluckt.

Am fünfzehnten Tag kam es zu einer Messerstecherei zwischen einem Kurden und einem Pakistani. Warum, weiß ich nicht, vielleicht gab es Streit um Proviant, vielleicht auch einfach nur so. Der Kurde hatte das Nachsehen. Wir mussten auch ihn zurücklassen.

Am sechzehnten Tag unterhielt ich mich zum ersten Mal mit einem pakistanischen Jungen, der etwas älter war als ich (normalerweise sprachen Afghanen und Pakistani kaum miteinander). Während wir liefen – wir befanden uns gerade in einem geschützten Bereich, in dem uns der Wind erlaubte zu sprechen –, fragte ich ihn, wohin er wolle und was er vorhabe. Welches Ziel er nach Istanbul habe. Er antwortete mir nicht gleich. Er war still und schweigsam. Er sah mich an, als hätte er mich nicht richtig verstanden, mit einem Gesicht, als wollte er sagen: *Was für eine dämliche Frage!* London, sagte er und beschleunigte seine Schritte, um mich abzuhängen. Später begriff ich, dass das für alle Pakistani galt. Sie sprachen nicht von der Türkei oder von Europa. Sie sagten London, mehr nicht.

Wenn einer von ihnen nett war und zurückfragte, sagte ich: Irgendwohin.

Am achtzehnten Tag sah ich sitzende Menschen. Ich sah sie in der Ferne und verstand nicht gleich, warum sie angehalten hatten. Der Wind war rasiermesserscharf, und Schnee verstopfte mir die Nase. Als ich versuchte, ihn mit den Fingern zu entfernen, waren die sitzenden Menschen verschwunden. Hinter einer Haarnadelkurve sah ich sie plötzlich vor mir. Sie würden für immer dort sitzen. Sie waren erfroren. Sie waren tot. Keine Ahnung, wie lange sie schon dort saßen. Alle anderen gingen schweigend an ihnen vorbei. Ich klaute einem die Schuhe, denn meine waren kaputt, und meine Zehen waren bereits blau und gefühllos. Ich spürte gar nichts mehr, nicht einmal, wenn ich sie an einem Stein stieß. Ich zog einem Toten die Schuhe aus und probierte sie an. Sie passten mir. Sie waren viel besser als meine. Ich machte eine Geste des Dankes. Manchmal träume ich heute noch davon.

Zweimal am Tag gaben sie uns ein Ei, eine Tomate und ein Stück Brot. Der Proviant wurde mit einem Pferd herbeigeschafft. Aber jetzt waren wir zu weit oben, so dass kein Nachschub mehr möglich war. Am zweiundzwanzigsten Tag gaben sie die letzte Ration aus. Sie rieten uns, sie in viele kleine Stücke zu teilen, damit sie eine Weile reichte. Doch ein Ei, ein hart gekochtes Ei, lässt sich nur schwer teilen.

Die anderen schickten mich vor und machten mir Mut: Frag!, sagten sie.

Was hat das für einen Sinn?, sagte ich nur.

Das ist uns egal, frag!

Haben wir es jetzt so gut wie geschafft?, erkundigte ich mich bei einem der Schlepper.

Da sagte er: Ja, wir haben es so gut wie geschafft. Aber ich glaubte ihm kein Wort.

Doch am sechsundzwanzigsten Tag hatten wir den Berg hinter uns gelassen. Ein Schritt, noch ein Schritt und abermals ein Schritt, und plötzlich begann der Abstieg. Wir mussten nichts mehr erklimmen, wir hatten den Pass und damit den Ort erreicht, wo uns die Türken von den Iranern übernehmen würden. Dort zählten wir uns seit unserem Aufbruch zum ersten Mal. Es fehlten zwölf Personen. Zwölf von siebenundsiebzig. Sie waren von der Stille verschluckt worden, und ich hatte es nicht einmal bemerkt. Wir sahen uns an, als sähen wir uns zum ersten Mal, so als wären wir nicht gemeinsam unterwegs gewesen. Unsere Gesichter waren rot verbrannt. Unsere Falten glichen Schnittwunden. Die Risse bluteten.

Die Türken, die uns bereits erwarteten, ließen uns in konzentrischen Kreisen Platz nehmen, damit wir besser vor der Kälte geschützt waren. Alle halbe Stunde hieß es Plätze tauschen: Wer in der Mitte saß, musste an den Rand, so dass sich nacheinander alle aufwärmten beziehungsweise den kalten Wind der Welt im Rücken spürten.

Am siebenundzwanzigsten Tag – und dass es der siebenundzwanzigste war, weiß ich, weil ich sie wie Perlen um den Hals trage, und zwar jeden einzelnen davon – begannen wir mit dem Abstieg. Aus dem Berg wurden langsam Hügel, Wälder, Wiesen, Bäche, Felder und andere

Herrlichkeiten mehr. Wo es keine Bäume gab, ließen sie uns grüppchenweise weitermarschieren, damit wir nicht so auffielen. Manchmal schießen sie, sagten sie.

Wer?

Das spielt keine Rolle. Manchmal schießen sie.

Nach zwei weiteren Tagen, die sich anfühlten wie Jahre oder zwei Jahrhunderte, erreichten wir Van.

Auch Van liegt an einem See. Am Vansee. Wir waren also von einem See zum anderen marschiert. In dieser türkischen Stadt, der ersten türkischen Stadt, in der wir Station machten, suchten wir Schutz in einem Getreidefeld und schliefen eine Nacht zwischen den hohen Halmen. Einige türkische Bauern, Freunde der Schlepper, die unheimlich nett waren, brachten uns etwas zu essen und zu trinken. Ich hätte mir gern etwas anderes angezogen. Die Kleider, die ich trug, waren schmutzig und zerrissen, die reinsten Lumpen. Aber die guten Sachen, die wir in Teheran gekauft hatten, mussten wir für Istanbul aufbewahren. Ich durfte sie auf keinen Fall schon vorher durchschwitzen oder sonst irgendwie ruinieren.

Vor Tagesanbruch scheuchte man uns aus dem Feld wie die Grillen. Man verlud uns auf Lastwagen und brachte uns zu einem Ort ganz in der Nähe. Es war eine Art riesiger Stall mit hohen Decken. Ein Stall, der keine Kühe, sondern Illegale beherbergte. Uns Afghanen ließ man neben den Pakistani schlafen, was keine gute Idee war. Und so kam es in dieser Nacht zu einem Gerangel um die Schlafplätze. Die Türken sahen sich gezwungen einzuschreiten und uns zu trennen. Und um niemanden zu diskriminieren, haben sie uns alle verprügelt.

Wir blieben dort vier Tage eingesperrt.

Eines Nachts – wir schliefen schon – begannen die Wände von lautem Motorengeknatter zu wackeln. Die Türken befahlen uns, unsere Sachen zu packen und uns zu beeilen. Sie trieben uns nach Nationalitäten getrennt zur Wand und begannen, uns grüppchenweise hinauszulassen – wahrscheinlich damit die drinnen nicht sahen, was draußen geschah: Damit sie nicht sahen, wo man uns hineinbugsierte. Wir blieben etwa zehn Minuten in einer Ecke stehen, den Stoffbeutel gegen die Brust gepresst, bis jemand rief und wir hinausgingen.

Zuerst war ich völlig geblendet, weil die Scheinwerfer des laut knatternden Fahrzeugs eingeschaltet und auf die Tür gerichtet waren. Dann erkannte ich, dass es sich um einen riesigen Laster mit einem Riesenanhänger handelte, der mit Steinen und Kies beladen zu sein schien.

Kommt her!, riefen sie. Hier entlang!

Wir umrundeten den Laster und standen vor der Ladefläche.

Steigt ein, sagten sie.

Aber wo? Wir sahen nur Kies, Steine und Schutt.

Der Schlepper zeigte nach unten. Ich dachte schon, wir sollten unter den Laster kriechen, aber dann sah ich genauer hin und entdeckte etwas, das mir die Augen hätte öffnen müssen. Aber ich wollte es einfach nicht wahrhaben. Ich sah, dass zwischen der Ladefläche des Anhängers – der Ladefläche, mit dem Kies und den Steinen – und dem Boden des Lasters, dort, wo die Antriebswelle befestigt war – eine vielleicht fünfzig Zentimeter breite Lücke klaffte: Der Laster besaß also einen doppelten Boden. Einen fünfzig Zentimeter hohen Hohlraum, in dem wir hocken mussten, die Arme um die Knie geschlungen und den Kopf zwischen die Beine gesteckt.

Sie gaben jedem zwei Flaschen: eine volle und eine leere. Die volle enthielt Wasser, die leere war zum Hineinpinkeln gedacht.

Sie füllten den Hohlraum mit über fünfzig Personen. Die Verhältnisse waren mehr als beengt, schlimmer noch: Wir fühlten uns wie eine Handvoll Reis, der in der Faust zusammengedrückt wird. Als sie den Hohlraum schlossen, verschluckte uns die Dunkelheit, und ich glaubte zu ersticken. Ich dachte: Hoffentlich wird es eine kurze Fahrt. Hoffentlich dauert es nicht lange. Irgendwo beschwerte sich jemand. Ich spürte das Gewicht der Steine im Nacken, das Gewicht der Nachtluft auf den Steinen und das Gewicht des Himmels und der Sterne auf der Nachtluft. Ich begann, durch die Nase zu atmen, aber ich atmete Staub ein. Ich begann, durch den Mund zu atmen, aber die Brust tat mir weh. Am liebsten hätte ich über die Ohren oder Haare geatmet wie Pflanzen, die Feuchtigkeit aus der Luft filtern. Aber ich war keine Pflanze, und es gab keinen Sauerstoff. Irgendwann dachte ich: Wir halten an! Aber es war nur eine Kreuzung. Jetzt sind wir da, wir sind da!, dachte ich ein anderes Mal. Aber es war nur der Fahrer. Er war ausgestiegen, um zu pinkeln, das konnte ich hören. (Ich selbst muss nicht pinkeln, nein, ich muss nicht pinkeln.)

Wir sind da, sagte ich, als Knie und Schultern abgestorben waren. Aber es war wieder bloß falscher Alarm: Keine Ahnung, was diesmal los war.

Irgendwann hörte ich auf zu existieren. Ich hörte auf, die Sekunden zu zählen und mir die Ankunft vorzustellen. Alles in mir schrie vor Schmerz, auch meine Muskeln und Knochen. Und dann der Gestank. Ich weiß noch, wie es nach Urin und Schweiß stank. Hin und wieder hörte ich Schreie und Stimmen in der Dunkelheit. Keine Ahnung, wie viel Zeit vergangen war, als jemand herzzerreißend zu jammern begann, so als würden ihm die Fingernägel ausgerissen. Ich kam mir vor wie in einem Albtraum. Anfangs dachte ich, diese heisere Stimme, die sich mit dem Motorenlärm vermischte, wäre nur geträumt. Aber dem war nicht so. Wasser, sagte sie. Nur dieses eine Wort: Wasser. Aber in einem Tonfall, den ich nicht beschreiben kann. Ich wusste, wer das sagte, ich erkannte die Stimme wieder. Auch ich begann, Wasser! zu schreien, um nicht tatenlos zuzuhören. Um zu sagen: Hilfe, da stirbt einer! Aber nichts geschah, es kam keine Antwort. Trink dein Pipi, sagte ich, weil er nicht aufhörte zu weinen, aber wahrscheinlich hat er mich gar nicht gehört. Er antwortete nicht, sondern jammerte ununterbrochen weiter. Es war unerträglich. Also kroch ich über die Leiber der anderen, die mir Fausthiebe und Kniffe verpassten. Ich konnte das gut verstehen, schließlich erdrückte ich sie fast. Ich erreichte den Jungen. Ich sah ihn nicht, ertastete aber sein Gesicht, seine Nase, seinen Mund. Er jammerte, wiederholte in einem fort: Wasser, Wasser, Wasser. Ich fragte einen der Umsitzenden, ob er noch etwas in seiner Flasche hätte, da meine leer sei. Aber alle hatten die ihre bis auf den letzten Tropfen ausgetrunken. Da kroch ich wieder über die Leiber, bis ich einen bengalischen Jungen fand, der sagte, er hätte noch etwas Wasser, würde es mir aber nicht geben. Ich flehte ihn an. Nein. Ich bettelte: Nur einen Schluck. Nein. Währenddessen achtete ich genau darauf, woher es kam. Ich zielte mit der Faust direkt auf das Nein. Ich spürte Zähne an meiner Faust, und während der bengalische Junge schrie, ohrfeigte ich ihn heftig. Aber nicht, um ihm wehzutun, sondern nur, um an die Flasche zu kommen. Sobald ich sie ertastet hatte, entwand ich sie ihm und verschwand, was in dieser Situation nicht weiter schwer war. Ich brachte dem Jungen das Wasser und fühlte mich gut dabei, weil es mich ein Stück weit wieder zu einem Menschen machte.

Die Fahrt dauerte drei Tage. In dieser Zeit sind wir kein einziges Mal ausgestiegen. Sie haben uns kein einziges Mal aufgemacht.

Dann ein Licht.

Elektrisches Licht.

Man hat mir erklärt, dass man sich das vorstellen muss, als wachte man aus einer Vollnarkose auf. Sämtliche Konturen sind unscharf, und man hat das Gefühl, einen Berg hinunterzurollen wie in einem Autoreifen, wie in *Telisia* und *Sang Safid*. Sie ließen uns hinunterrollen, weil niemand mehr in der Lage war, auch nur den kleinen Finger zu bewegen. Die Durchblutung war unterbrochen, die Füße waren geschwollen, der Hals verrenkt. Sie begannen mit denen direkt hinter der Heckklappe. Sie ließen sie fallen wie einen Sack Zwiebeln. Dann krochen zwei Türken auf dem Bauch in den Hohlraum und holten auch uns, denn von allein wären wir dort nie mehr herausgekommen. Jede Bewegung verursachte schreckliche Schmerzen.

Sie rollten mich in eine Ecke, wo ich zusammengeringelt liegen blieb. Keine Ahnung, wie lange. Ich war nur noch ein Klumpen Fleisch.

Dann gewöhnten sich meine Augen langsam an das Licht, und ich sah, wo ich mich befand. In einem unterirdischen Raum. In einer Garage, zusammen mit Hunderten von anderen. Das musste ein regelrechtes Durchgangslager für Immigranten sein, eine Höhle im Bauch Istanbuls.

Als ich mich endlich wieder rühren und durchatmen konnte, suchte ich nach einem Ort, wo ich pinkeln konnte. Wo ich alles, was ich mir auf der Fahrt verkniffen, ja drei Tage lang angehalten hatte, loswerden konnte. Man zeigte mir eine Toilette (die einzige), ein Loch im Boden. Ich ging hinein, und ein unerträglicher Schmerz fuhr mir in Beine und Magen, so dass ich fürchtete, ohnmächtig zu werden. Ich schloss die Augen, um meine Kräfte zu sammeln, und als ich sie wieder aufmachte, sah ich, dass ich Blut pinkelte, und das noch mehrere Wochen lang.

Die anderen standen vor einem Telefon Schlange. Jeder musste seinen Schlepper im Iran anrufen, den, mit dem er sich vor Antritt der Reise geeinigt hatte. Bei mir war das Farids Cousin. Wir mussten ihn und denjenigen, der unser Geld hatte, anrufen, damit es übergeben wurde.

Erst nachdem bezahlt war, und wirklich erst dann, sagte

der iranische Mittelsmann seinen türkischen Komplizen in jener Tiefgarage in Istanbul, dass alles in Ordnung sei. Und dass die Gefangenen, sprich wir, freigelassen werden dürften.

Hallo? Hier spricht Enaiatollah Akbari. Ich bin in Istanbul.

Zwei Tage später verband man mir die Augen und befahl mir und anderen afghanischen Jungen, in ein Auto zu steigen. Man fuhr uns eine Weile kreuz und quer durch die Stadt, damit wir nicht mitbekamen, von wo wir aufgebrochen waren, welches Loch uns ausgespuckt hatte. Schließlich setzte man uns in einem Park ab, aber nicht alle auf einmal, sondern einen hier und einen dort.

Ich wartete, bis das Auto verschwunden war, und nahm meine Augenbinde ab. Um mich herum funkelten die Lichter der Stadt. Um mich herum befand sich die Stadt. Erst da begriff ich, dass ich es tatsächlich geschafft hatte. Ich setzte mich hin und lehnte mich an eine Mauer. An diesem mir völlig fremden Ort verharrte ich mehrere Stunden regungslos und starrte vor mich hin. Es roch nach Frittiertem, nach Blumen und nach Meer. Vielleicht war ich mir auch selbst fremd geworden, in Istanbul, in der Türkei, auf jeden Fall habe ich im Park geschlafen, ohne mir eine Unterkunft, eine richtige Unterkunft zu suchen. Und das über einen längeren Zeitraum hinweg – ausgerechnet ich, der ich seit dem *Samavat Qgazi* von einem Ort träumte, an dem ich mich abends ausruhen kann.

Doch hier gab es so etwas nicht.

Ich versuchte, Kontakt zu anderen Afghanen aufzunehmen, allerdings ohne großen Erfolg. Stattdessen entdeckte ich einen Platz in der Nähe eines Basars, in einer baufälligen Gegend am Bosporus. Dort konnte man frühmorgens hingehen und auf etwas Arbeit hoffen. Man setzte sich hin und wartete, bis jemand vorbeikam, der aus einem Wagen stieg und sagte: Ich kann dir folgenden Job gegen, folgende Bezahlung anbieten. War man einverstanden, erhob man sich und folgte ihm. Man arbeitete den ganzen Tag, und die Arbeit war hart. Abends wurde man dann wie vereinbart bezahlt.

Im Vergleich zum Iran war es in Istanbul viel schwieriger, ein menschenwürdiges Leben zu führen. Manchmal dachte ich: Was habe ich nur getan? Dann fielen mir die Abschiebungen nach Herat und alles andere wieder ein: die Kontrollposten, die geschorenen Haare. In diesen Momenten fand ich, dass ich es mit dem Park in Istanbul doch ganz gut getroffen hätte. Wenn ich duschte, dann bei anderen zu Hause. Ich lebte von der Hand in den Mund. Die Tage stürmten auf mich ein, und das Leben zog an mir vorbei. Ich verwandelte mich in einen Stein.

Nachdem wir eines Abends gemeinsam in den Gassen Fußball gespielt hatten, erzählten mir Afghanen, die noch jünger waren als ich, dass sie bald nach Griechenland gehen würden. Sie arbeiteten in einer Nähfabrik. Nach mehreren Monaten unentgeltlicher Arbeit würde ihnen derjenige, der sie an die Fabrik vermittelt hatte, helfen, nach Griechenland zu gelangen.

Wie denn?

Mit einem Schlauchboot.

Noch eine Reise? Ich dachte an das Gebirge zurück. An den Hohlraum unter dem Lastwagen. Ich dachte: Und jetzt das Meer. Es machte mir Angst. Ich konnte mich an den tiefen Stellen im Fluss nur mit Mühe über Wasser halten. Im großen Meer, im Mittelmeer, würde ich ertrinken. Wer weiß, welche Gefahren es barg.

Ich möchte in Istanbul Arbeit finden, sagte ich.

Dort wirst du keine finden.

Ich möchte es versuchen.

Hier in der Türkei gibt es keine Arbeit für uns. Wir müssen nach Westen gehen.

Ich möchte in Istanbul Arbeit finden, wiederholte ich. Und genau das versuchte ich auch noch mehrere Monate. Ich tat alles dafür, aber es war nicht leicht, nein, es war wirklich nicht leicht. Und wenn etwas so schwierig ist, dass es unmöglich wird, bleibt einem nichts anderes übrig, als aufzugeben und sich etwas anderes auszudenken.

Als der schicksalhafte Aufbruch der afghanischen Jungen kurz bevorstand, war ich beinahe soweit, ihre Einladung anzunehmen. Aber dafür war es jetzt reichlich spät. Sie hatten gearbeitet, um die Reise bezahlen zu können.

Also griff ich zu einer Notlüge und sagte: Wenn ihr nach Griechenland geht, solltet ihr mich lieber mitnehmen. Denn dort braucht ihr bestimmt jemanden, der Englisch spricht, und ich spreche Englisch. Wenn ihr mir die Reise bezahlt und ich euch begleite, könnt ihr euch mit den Griechen verständigen, sie um Hilfe bitten oder irgendwas fragen. Na, was meint ihr? Ich könnte euch behilflich sein. Ich hoffte, dass sie darauf hereinfielen, da alle etwas jünger waren und dementsprechend weniger Lebenserfahrung besaßen.

Wirklich?, fragten sie.

Was, wirklich?

Du sprichst wirklich Englisch?

Ja.

Dann lass mal hören!

Was wollt ihr denn hören?

Irgendwas auf Englisch.

Also sagte ich eines der wenigen Wörter, die ich kannte: *House.*

Was heißt das?

Haus, sagte ich.

Da haben sie eingewilligt.

Wo hattest du Englisch gelernt?

Das habe ich nach und nach aufgeschnappt. Wenn man vorhat auszuwandern, sollte man etwas Englisch können. Und weil viele von uns nach London gehen wollten, habe ich manchmal Freunden geholfen, sich ein paar nützliche Sätze einzuprägen.

Also konntest du Englisch.

Nein, ich konnte kein Englisch. Ich kannte nur ein paar Wörter. Wie ship station *für Hafen oder so.*

Haben sie es dann später gemerkt?

Warte, das erzähle ich dir gleich.

In der Woche, bevor wir aufbrachen, hatte ich wirklich Glück und arbeitete drei Tage. Ich verdiente genug, um mir neue Klamotten für Griechenland kaufen zu können. Wenn man irgendwo hinkommt, wo man ein Niemand ist, ist es immer gut, neue Kleider zu haben.

Wir waren zu fünft: Rahmat, Liaquat, Hussein Alì, Soltan und ich.

Hussein Alì war der Jüngste, er war zwölf.

Von Istanbul fuhren wir nach Ayvalik. Das ist ein Ort gegenüber der Insel Lesbos. Von der türkischen Küste aus sollte es dann an die griechische gehen. Nach Ayvalik brachte uns einer der vielen Schlepper, ein schnauzbärtiger Türke mit Aknenarben. Der würde uns auch erklären, wie man nach Griechenland kommt.

Und so war es dann auch: In Ayvalik machte er den Motor seines Transporters aus, zog einen von Mäusen angenagten Pappkarton hervor, führte uns auf einen Hügel, zeigte bei Sonnenuntergang aufs Meer und sagte: Dort liegt Griechenland. Viel Glück!

Jedes Mal, wenn mir jemand viel Glück wünscht, geht es schief, sagte ich. Außerdem, was soll das heißen, dort liegt Griechenland? Ich sehe nur Meer.

Aber natürlich hatte auch er ein paar berechtigte Ängste. Schließlich war das, was er tat, illegal. Also knurrte er nur irgendwas auf Türkisch und ließ uns auf dem Hügel zurück.

Wir öffneten den Pappkarton. Er enthielt das Schlauchboot – ein nicht aufgepumptes Schlauchboot, natürlich –, Ruder (es gab sogar zwei Ersatzruder), einen Blasebalg, Klebeband – und ich dachte noch: Wieso Klebeband? – und Schwimmwesten. Die perfekte Ausrüstung, eine Art

Startpaket für Illegale. Mit Anleitung und allem Drum und Dran. Wir teilten den Inhalt unter uns auf, zogen die Schwimmwesten an, weil das bequemer war, als sie zu tragen, und gingen in den Wald, der den Hügel vom Strand trennte. Bis zum Meer waren es noch etwa drei oder vier Kilometer, und in der Zwischenzeit war es dunkel geworden. Wenn ich jetzt daran zurückdenke, fällt mir auf, dass ich damals eher nachts als tagsüber gelebt habe.

Wir gingen also in Richtung Strand, durch diesen großen Wald und die Nacht, die zwischen den Baumstämmen hindurchschimmerte. Nach nicht einmal zwanzig Minuten hörten wir äußerst merkwürdige Geräusche. Das war nicht der Wind, der in den Zweigen oder Blättern raschelte, sondern etwas ganz anderes.

Das werden Kühe sein, sagte Rahmat.

Das werden Ziegen sein, sagte Hussein Alì.

Ziegen machen keine solchen Geräusche, du Dummkopf!

Bei diesen Worten boxte Hussein Alì Rahmat gegen die Schulter. Und Kühe auch nicht, du Idiot!

Sie begannen, sich gegenseitig anzurempeln und zu raufen.

Seid ruhig!, sagte ich. Hört auf damit!

Das werden wilde Kühe sein, sagte Liaquat. Wildkühe, die es nur in der Türkei gibt. Aber uns blieb keine Zeit mehr, etwas darauf zu erwidern, da Liaquats Kühe plötzlich mitten auf dem Weg standen und wie die Wahnsinnigen auf uns zugaloppierten. Es waren kleine Kühe, kleine, gedrungene Kühe. Hussein Alì schrie: Los, lauft, da kommen die wilden Kühe! Da rannten wir los, bis wir einen Graben oder so was fanden. Wir ließen uns fallen und versteckten uns zwischen den Sträuchern.

Wir warteten, bis es wieder still geworden war. Nach einer Weile steckte Liaquat den Kopf hervor und sagte: He, das sind keine Kühe, das sind Schweine!

Wilde Schweine, sagte Hussein Alì.

Wilde Schweine, wiederholte Liaquat.

Ja, es waren Wildschweine. Aber keiner von uns hatte jemals ein Wildschwein gesehen. Wir warteten, bis sie verschwunden waren. Dann verließen wir den Graben und gingen erneut Richtung Strand.

Zehn Minuten später hörten wir es bellen.

Das sind Hunde, sagte Hussein Alì.

Na, großartig!, sagte Liaquat. Man merkt, dass du eine Schule besucht hast. Weißt du auch, wie ein Schaf macht? Und ein Pferd?

Sie fingen an, sich gegenseitig anzurempeln und zu raufen, hörten aber sofort damit auf, als plötzlich ein Hund hinter einem Baum auftauchte. Und dann noch einer und noch einer. Das Hundegebell kam näher, und wir entdeckten die Tiere rechts von uns auf einem Felsen. Sie befanden sich nicht etwa hinter einem Zaun, sondern waren frei. Und sie waren viele.

Wilde Hunde!, schrie Hussein Alì. Dieses Land ist voller wilder Tiere.

Die Hunde verließen den Felsen, Hunde, mit gefletschten Zähnen und gestreckten Ruten. Also rannten wir wieder davon, so schnell wir konnten. Wir sprangen in einen

Graben, der diesmal tiefer war als gedacht. Wir purzelten den Abhang hinunter und landeten in einem trockenen Flussbett.

Das Schlauchboot, schrie ich. Macht keine Löcher ins Schlauchboot!

Wir schützten uns vor den Steinen und anderen spitzen Gegenständen. Als wir uns wieder aufrappelten, war zum Glück niemand von uns ernsthaft verletzt. Wir hatten bloß ein paar Kratzer und blaue Flecken davongetragen. Und auch das Schlauchboot, der Blasebalg und die anderen Sachen waren noch da. Erst da fielen mir die Schwimmwesten wieder ein.

Liaquat, sagte ich. Deine Schwimmweste ist total zerfetzt.

Liaquat zog sie aus, drehte und wendete sie. Aber es war bereits zu spät, sie war längst unbrauchbar geworden. Er sah mich verzweifelt an und zwang sich dann zu einem schiefen Grinsen: Deine ehrlich gesagt auch.

Er ging auf Hussein Alì zu. Und die von Hussein Alì ebenfalls, sagte er.

Nicht eine einzige Weste war heil geblieben.

He, aber dafür sind wir am Strand!, sagte Rahmat.

Wir sind am Strand, wiederholte Hussein Alì.

Gibt es eine Schule, in der man solche Binsenweisheiten lernt?, sagte Liaquat.

Lasst uns schnell das Schlauchboot aufpumpen!, schlug Rahmat vor.

Dafür ist es jetzt zu spät.

Wie bitte?

Ich wiederholte: Dafür ist es jetzt zu spät. Wir müssen bis morgen warten.

Das stimmt nicht, wir können es schaffen.

Um die Meerenge zu durchqueren, die uns von Lesbos trennte, bräuchte man etwa drei Stunden, hatte uns der Schlepper erklärt. Inzwischen war es bestimmt zwei, drei Uhr morgens, und wir riskierten, bei Sonnenaufgang anzukommen und somit entdeckt zu werden. Wir waren auf die Dunkelheit angewiesen, darauf, unsichtbar zu bleiben. Wir mussten überlegt handeln. Wir mussten die folgende Nacht abwarten.

Ich bin der Älteste, sagte ich. Ich bin der Kapitän. Stimmen wir ab: Wer ist dafür, dass wir morgen Nacht aufbrechen?

Hussein Alì zeigte als Erster auf, Soltan und Rahmat taten es ihm nach.

Liaquat seufzte. Dann suchen wir uns eben einen Schlafplatz, sagte er. Möglichst weit vom Meer entfernt. Bei diesen Worten sah er Hussein Alì augenzwinkernd an: Nicht dass uns eine wilde Welle angreift, während wir schlafen.

Hussein Alì verstand den Witz nicht. Er nickte und sagte: Oder ein Krokodil. Das war sein voller Ernst, seine Augen waren weit aufgerissen.

Im Meer gibt es keine Krokodile, sagte Liaquat.

Woher weißt du das?

Das weiß ich einfach, du Dummkopf.

Du hast leicht reden! Dabei kannst du noch nicht mal schwimmen.

Du kannst doch auch nicht schwimmen.

Das stimmt. Hussein Alì versteifte sich. Deswegen habe ich ja Angst vor Krokodilen.

Aber es gibt gar keine, kapiert? Es. Gibt. Keine. Krokodile leben in Flüssen.

Da wäre ich mir nicht so sicher, flüsterte Hussein Alì und schaute aufs Wasser hinaus. In dieser Dunkelheit, sagte er, während er nach einem Stein trat, kann sich alles Mögliche verstecken.

Der nächste Tag war ein guter Tag, obwohl wir unsere gesamten Nahrungs- und Trinkvorräte aufbrauchten. Soltan versuchte, Meerwasser zu trinken, schrie aber nach dem ersten Schluck, das Wasser sei vergiftet. Die Türken und Griechen hätten es vergiftet, um uns umzubringen. Wir blieben unter uns (was hätten wir auch sonst tun sollen?), schliefen aus und bauten Wildschweinfallen. Wir machten uns keine Gedanken darüber, wie gefährlich die Überfahrt war. Der Tod kommt einem sehr weit weg vor, auch wenn er gar nicht mehr so weit entfernt ist. Man glaubt, ihn überlisten zu können.

Gegen Mitternacht verließen wir unser Versteck. Wir trugen unsere Ausrüstung zu den Felsen. Dort waren wir geschützter und konnten nicht so leicht von vorbeifahrenden Booten gesehen werden. Das Schlauchboot musste mithilfe des Blasebalgs aufgepumpt werden. Es war blau-gelb und, ehrlich gesagt, nicht besonders groß. Das Gewicht, für das es ausgelegt war, war niedriger als unser Gesamtgewicht, aber wir taten, als ob nichts wäre.

Wir waren so damit beschäftigt, das Boot aufzupumpen und die Ruder einzuhängen, dass wir gar nicht merkten, wie sich vom Meer her ein Licht näherte.

Es war Rahmat, der es entdeckte. Schaut nur!, sagte er.

Wir wandten gleichzeitig den Kopf.

Draußen auf dem Wasser – wie weit draußen, kann ich schlecht sagen – fuhr ein Boot mit rot und grün blinkenden Lämpchen vorbei. Wegen der Lämpchen hielten wir es für die Küstenwache. Das ist die Küstenwache!, sagten wir und fragten uns panisch, ob sie uns wohl gesehen hatte. Wir ließen die Luft aus dem Boot, rannten zurück und versteckten uns wieder im Wald.

Das war bestimmt bloß ein Fischerboot.

Und was machen wir jetzt?

Wir sollten warten.

Wie lange?

Eine Stunde.

Und wenn sie wiederkommen?

Dann bis morgen.

Wir sollten lieber bis morgen warten.

Ja, ja. Morgen.

Gehen wir schlafen?

Lasst uns schlafen gehen.

Und wer hält Wache?

Was für eine Wache?

Wir müssen Wache halten, sagte Hussein Alì.

Wir brauchen nicht Wache zu halten.

Wenn sie uns gesehen haben, werden sie nach uns suchen.

Aber vielleicht haben sie uns gar nicht gesehen.

Dann können wir auch aufbrechen.

Nein, wir können nicht aufbrechen, Hussein Alì. Und wenn sie nach uns suchen, werden wir es schon merken. Niemand kann lautlos an Land gehen. Wenn du unbedingt willst, kannst du ja die erste Wachschicht übernehmen.

Warum ich?

Weil es dein Vorschlag war, deshalb.

Löst du mich ab?

Weck mich, sagte ich.

Einverstanden.

Gute Nacht.

Gute Nacht.

Als Hussein Alì anfing, im Schlaf zu reden, lag ich immer noch wach. So gesehen war jede weitere Wache überflüssig.

Am dritten Abend beschlossen wir nach einer langen Diskussion, etwas früher aufzubrechen. Denn wenn sie gegen Mitternacht losgefahren waren, würden sie gegen zehn vielleicht noch zu Hause sitzen, abendessen und fernsehen. Also näherten wir uns wenige Stunden nach Sonnenuntergang den Felsen, pumpten das Schlauchboot auf und schoben es ins Wasser. Wir zogen uns bis auf die Unterhose aus.

Wie bereits erwähnt, war ich der Älteste und auch der Einzige, der ein bisschen schwimmen konnte. Die anderen konnten nicht nur nicht schwimmen, sondern hatten auch eine Heidenangst. Als es darum ging, ins Wasser zu waten und das Schlauchboot festzuhalten, damit die anderen einsteigen konnten, meldete ich mich freiwillig und setzte meinen Fuß dorthin, wo ich Meeresboden vermutete, von dem ich nicht einmal wusste, wie er beschaffen war. Und so entdeckte ich, dass es sogar im Meer Felsen gibt. Jungs, im Meer gibt es Felsen!, sagte ich, woraufhin alle sagten: Ehrlich? Ich kam gar nicht mehr dazu, Ja zu sagen, denn schon beim nächsten Schritt rutschte ich aus und landete im Wasser. Indem ich wild mit den Armen fuchtelte, gelang es mir, nicht unterzugehen, mich an das Schlauchboot zu klammern und es so festzuhalten, dass die anderen einsteigen konnten.

Hussein Alì sagte: Beeil dich! Sonst knabbern die Krokodile deine Füße an.

Liaquat versetzte ihm eine Kopfnuss.

Und wenn es keine Krokodile sind, sagte er, dann ist es eben ein Wal.

Mit Soltans und Rahmats Hilfe kletterte ich an Bord.

Und dann? Dann packten wir die Ruder und schlugen damit aufs Wasser ein, so fest, dass ich sogar ein Ruder zerbrochen habe. Ich schlug wie wild drauflos, denn niemand von uns konnte rudern. Und so kam es, dass wir alle auf einer Seite ruderten, und zwar auf der rechten, woraufhin sich das Schlauchboot nach links drehte, und anschließend auf der linken Seite, woraufhin sich das Schlauchboot nach rechts drehte.

Während wir uns hin und her drehten, wurden wir wieder an die Felsen geworfen.

Keine Ahnung, wie Schlauchboote gebaut sind, aber dieses hier musste zwei Schichten besitzen, denn es bekam ein Loch, ohne dass wir untergingen.

Aber wir mussten es flicken.

Es gelang uns, an Land zurückzukehren – eine Riesenanstrengung – und das Schlauchboot auf die Felsen zu ziehen.

Zum Glück hatten wir Klebeband (dazu diente es also!), und wir schlossen das Loch damit. Aber da wir ihm nicht trauten, beschlossen wir, dass Hussein Alì nicht rudern, sondern die Hände auf den Flicken drücken sollte.

Rahmat und ich nahmen links Platz.

Liaquat und Soltan rechts.

Los!, sagte ich, und wir begannen alle vier zu paddeln.

Endlich brachen wir auf.

Griechenland

Gegen Mitternacht wurde das Meer unruhig. Wir ruderten schnell, aber ohne uns Kommandos zu geben wie die Profis. Die haben nämlich jemanden hinter oder vor sich, der *und eins und zwei, und eins und zwei* sagt, damit alle im Takt rudern. Doch das konnten und wollten wir nicht, ja wir hatten sogar Angst zu niesen, was in unserem halbnackten Zustand gar nicht mal so unwahrscheinlich war. (Unsere Kleider und die anderen Sachen hatten wir in Plastiktüten verpackt und diese mit Klebeband verschlossen, damit kein Wasser hineinkam). Wie fürchteten uns also bereits davor zu niesen, aus Angst, der Radar der Küstenwache könnte unser Niesen inmitten der Schaumkronen orten.

Man hatte uns gesagt, dass wir Griechenlands Küste bei schnellem Rudern in zwei, drei Stunden erreichen würden. Dabei war allerdings nicht das viele Wasser mit eingerechnet, das uns ins Boot schwappte. Als das Meer zu tosen begann und auf uns einprasselte, als würde es regnen, nahm ich eine Wasserflasche, halbierte sie mit den Zähnen, um eine Schale daraus zu machen, und befahl Hussein Alì: Lass den Flicken los, schöpf das Wasser zurück ins Meer.

Wie denn?

Hiermit, sagte ich und zeigte ihm die halbierte Flasche. Im selben Moment entriss sie mir eine Welle, so als hätte sie zugehört und wäre nicht damit einverstanden. Ich stellte eine zweite Schale her, nahm Hussein Alìs Hand und legte sie um die Schale. Hiermit, sagte ich erneut.

Wir ruderten und ruderten. Aber warum hatten wir dann das Gefühl, als kämen wir gar nicht vorwärts, ja, als machten wir sogar kehrt? Zu allem Überfluss behinderten uns auch noch die Reifenschläuche, die wir als Rettungsringe mitbekommen hatten. Zu dumm, dass wir sie mit langen Seilen am Schlauchboot befestigt hatten, weil wir dachten, sie könnten uns beim Rudern stören. Jetzt, wo es stürmte, hob sie der Wind in die Höhe und verwandelte sie in Luftballons, die das Schlauchboot kreiseln und schlingern ließen.

Manchmal trieben uns die Strömung, der Wind oder die Wellen wieder in Richtung türkische Küste – so kam es uns wenigstens vor: Wir wussten nicht mehr genau, wo die Türkei und wo Griechenland lag, so dass der kleine Hussein Alì, ohne auch nur eine Sekunde aufzuhören, Wasser aus dem Schlauchboot zu schöpfen, sagte: Ich weiß, warum wir nie in Griechenland ankommen werden. Ganz einfach, weil das Meer in diese Richtung ansteigt. Er sagte es mit einer äußerst kläglichen Stimme.

An der Küste stand ein Leuchtturm. Er war unser Anhaltspunkt. Aber irgendwann sahen wir ihn nicht mehr. Die Wellen waren dermaßen hoch, dass sie ihn verdeckten, und da begann Hussein Alì zu kreischen und völlig auszuflippen. Wir sind so groß wie ein Walfischzahn, sagte er. Die Wale werden uns fressen. Und wenn sie uns nicht fressen, dann die Krokodile, auch wenn ihr behauptet, dass es keine gibt. Wir müssen umkehren, wir müssen umkehren!

Ich sagte: Ich kehre nicht um. Wir sind gleich in Griechenland, und wenn nicht, haben wir bestimmt schon die Hälfte der Strecke hinter uns. Da ist es auch egal, ob wir jetzt umkehren oder nicht. Außerdem sterbe ich lieber draußen auf dem Meer, als den Weg, den wir bereits hinter uns haben, erneut zurückzulegen.

So kam es mitten auf dem Meer zum Streit während wir von nichts als Dunkelheit und Wellen umgeben waren. Rahmat und ich sagten: nach Griechenland, nach Griechenland! Und Soltan und Liaquat: in die Türkei, in die Türkei. Und Hussein Alì, der nach wie vor Wasser schöpfte und weinte: Der Berg kippt um, der Berg kippt um. Die Wellen waren dermaßen hoch – bestimmt zwei, drei Meter, wenn nicht noch höher –, dass sie wie eine Lawine auf uns zudonnerten. Doch dann hoben sie uns empor und rollten unter uns durch. Sobald wir uns endlich oben auf dem Wellenkamm befanden, ging es wieder steil nach unten wie bei diesen Achterbahnen, die ich später in italienischen Vergnügungsparks gesehen habe. Aber draußen auf dem Meer war das alles andere als ein Vergnügen.

Die Situation war also folgende: Rahmat und ich ruderten wie wild nach Griechenland (beziehungsweise in die Richtung, in der wir Griechenland vermuteten), während Soltan und Liaquat zurück in die Türkei ruderten (beziehungsweise in die Richtung, in der sie die Türkei vermuteten). Unser Streit eskalierte immer mehr. Wir beleidigten uns und begannen uns im Schlauchboot zu prügeln. Und während wir, die wir nur ein winzig kleiner Punkt mitten im Nirgendwo waren, aufeinander losgingen, weinte Hussein Alì und sagte: Was soll das? Ich mache hier meinen Job, schöpfe das Wasser zurück ins Meer, und ihr prügelt euch? Rudert gefälligst, rudert!

Da muss das Boot aufgetaucht sein, besser gesagt das Schiff. Es war ein riesengroßes Schiff, vermutlich eine Fähre. Ich sah wie sie hinter Hussein Alìs Rücken auftauchte. Sie fuhr auf jeden Fall knapp an uns vorbei, äußerst knapp.

Wie knapp?

Siehst du den Blumenhändler auf der anderen Straßenseite? Von hier bis dort.

So knapp?

Knapp, von hier bis dort.

Sie machte Riesenwellen, die ganz anders waren als die natürlichen Wellen. Wellen, die sich mit den anderen kreuzten, woraufhin sich das Schlauchboot aufbäumte wie ein Pferd, das von einer Biene gestochen wird. Und Liaquat konnte sich nicht länger festhalten. Ich spürte, wie seine Finger über meine Schulter glitten. Er hat nicht geschrien, er hatte gar keine Zeit dazu. Das Schlauchboot hat ihn ohne jede Vorwarnung abgeworfen.

Wie bitte? Liaquat ist ins Wasser gefallen?

Ja.

Und was habt ihr gemacht?

Wir haben nach ihm gesucht, soweit das überhaupt möglich war, und gehofft, ihn irgendwo zwischen den Wellen zu entdecken. Wir haben nach ihm gerufen, aber er war und blieb verschwunden.

Als die Schiffswellen – das Schiff hat übrigens nicht angehalten, vielleicht hat es uns gesehen, vielleicht aber auch nicht –, also als die Schiffswellen verebbt waren, ruderten wir weiter und riefen immer wieder Liaquats Namen. Wir ruderten und riefen. Wir umkreisten die Stelle, an der wir ihn vermuteten, obwohl wir wahrscheinlich längst meilenweit davon entfernt waren.

Vergebens. Liaquat war von der Dunkelheit verschluckt worden.

Danach – warum, weiß ich nicht, vielleicht aus Erschöpfung oder aus Verzweiflung, vielleicht auch weil wir uns viel zu klein und winzig fühlten, um noch weiterzukämpfen –, sind wir eingeschlafen.

Als wir die Augen wieder öffneten, ging die Sonne auf. Das Wasser, das uns umgab, war dunkel, es war mehr oder weniger schwarz. Wir wuschen uns das Gesicht und spuckten Salz. Wir suchten den Horizont ab und entdeckten Land. Eine Landzunge und einen Strand, einen Hügel. Nicht allzu weit entfernt, in erreichbarer Nähe. Wir begannen wie wild zu rudern, legten uns gewaltig ins Zeug, jedoch ohne zu wissen, ob es sich dabei um Griechenland oder um die Türkei handelte. Wir sagten nur: Rudern wir in diese Richtung.

Vom vielen Knien waren unsere Beine ganz steif. Und an den Händen hatten wir kleine Wunden, winzige Schnittwunden. Keine Ahnung, woher, aber sie brannten jedes Mal, wenn Salzwasser drankam. Je mehr wir uns der Insel näherten, desto heller wurde es, und plötzlich entdeckte Soltan eine Fahne auf einem Hügel. Eine Fahne, sagte er nur flüsternd und zeigte darauf. Der Wind zerrte an ihr, aber wenn sie glatt war, konnte man waagrechte blaue und weiße Streifen erkennen, die sich miteinander abwechselten (neun, um genau zu sein). Der oberste war blau. In der oberen Ecke neben dem Fahnenmast befand sich ein Quadrat, das ebenfalls blau war, mit einem weißen Kreuz in der Mitte.

Genau wie bei der griechische Flagge.

Als wir uns im flachen Wasser befanden, verließen wir das Schlauchboot. Wir zogen es zu den Felsen an Land. Wir duckten uns, um so wenig wie möglich aufzufallen, obwohl der Ort vollkommen verlassen wirkte. Wir ließen die Luft aus dem Boot, zunächst, indem wir die Luft aus den Ventilen drückten, und dann, indem wir das Plastik mit Steinen zerfetzten. Wir falteten es hastig zusammen und versteckten es unter einem Felsen, den wir anschließend mit Sand bedeckten. Wir sahen uns an.

Und jetzt?, fragte Hussein Alì.

Wir hatten die Tüten mit unseren Kleidern verloren und trugen nur Unterhosen.

Bleibt hier, sagte ich.

Wohin gehst du?

In den Ort.

In welchen Ort? Wir wissen doch gar nicht, wo wir sind.

Die Küste entlang…

Die Küste entlang, na ganz toll!, sagte Soltan.

Lass mich ausreden, erwiderte ich. Wir müssen nach Mytilini oder?

Weißt du vielleicht, wo Mytilini liegt?

Nein. Aber es wird hier schon irgendeinen Ort geben. Irgendein Haus. Irgendwelche Geschäfte. Ich besorge uns etwas zu essen und wenn möglich auch etwas zum Anziehen. Wartet hier auf mich. So wie wir jetzt aussehen, sollten wir uns lieber nicht blicken lassen.

Ich will mitkommen, sagte Hussein Alì.

Nein.

Warum?

Das habe ich doch gerade erklärt.

Weil man sich einzeln besser verstecken kann, sagte Rahmat.

Hussein Alì sah mich schief an. Du kommst aber wieder oder?

Ich komme gleich wieder.

Du willst doch nicht abhauen?

Ich drehte mich wortlos um und kletterte den Hügel hinauf. Ich machte einen großen Umweg, warum, weiß ich nicht mehr, wahrscheinlich weil ich mich verlaufen hatte – vorausgesetzt, man kann sich überhaupt verlaufen, wenn man gar nicht weiß, wo man hinmuss.

Hinter einer Baumgruppe tauchten wie aus dem Nichts Häuser auf, und zu diesen Häusern gehörte auch ein Supermarkt. Ich sah Touristen, Familien, die gerade Urlaub machten, alte Herren, die spazieren gingen. Ich sah eine Eisdiele mit einer langen Schlange davor. Einen Zeitschriftenkiosk. Eine Garage, in der Mofas und Autos vermietet wurden. Und einen kleinen Platz mit Bänken und einem Spielplatz. Aus der Eisdiele kam laute, beschwingte Musik.

Der Supermarkt. Der Supermarkt war das Paradies. Der Supermarkt war mein Ziel. Jetzt musste ich ihn nur noch betreten, etwas zu essen mitgehen lassen – nichts Aufregendes, Obst war völlig ausreichend – und etwas zum Anziehen. Vielleicht Badehosen, wenn es welche gab. Jungen, die an einem Badeort in Badehosen herumlaufen, fallen nicht weiter auf. Aber Jungen in Unterhosen schon.

Eine Polizeistreife fuhr vorbei. Ich versteckte mich hinter (beziehungsweise in) einem Blumenbeet. Dort blieb ich mehrere Minuten sitzen und sah mir den Supermarkt genauer an. Ich wollte wissen, ob ich ihn betreten konnte, ohne groß aufzufallen, und kam zu dem Schluss, dass das über den Haupteingang nicht möglich war. Blieb noch der Hintereingang. Also drückte ich mich wie eine Eidechse an der Hauswand entlang und kroch wie eine Schlange unter einem Zaun durch. Dabei zog ich mir ein paar tiefe Kratzer am Bauch zu. Wie ein Gespenst betrat ich den Supermarkt, wobei ich mir die Unaufmerksamkeit eines Angestellten zunutze machte, der gerade Kartons mit Pausenriegeln auspackte. Als mein nackter Fuß die kalten, glatten Fliesen der Haushaltswarenabteilung berührte, hörte ich hinter einem Regal Stimmen, die mir bekannt vorkamen. Ich drehte vorsichtig den Kopf.

Rahmat, Hussein Alì und Soltan liefen durch die Gänge, gefolgt von den erstaunten Blicken einer blonden Verkäuferin.

Sie hatten nicht auf mich gehört – keine Ahnung, wie sie es geschafft hatten, vor mir hierherzukommen. Ich machte mich bemerkbar und gab ihnen ein Zeichen, so zu tun, als ob sie mich nicht kennen würden.

Jeder nahm sich etwas zu essen – aber keine Kleider, denn die wurden hier nicht verkauft. Die Leute starrten uns ungläubig an, wir mussten uns beeilen. Doch als wir gehen wollten, war der Hinterausgang verschlossen. Blieb nur noch der Haupteingang. Jetzt mussten wir rennen, und zwar schnell. Während wir den Gang mit den Kühlregalen, dann den mit den Hygieneartikeln und schließlich einen mit ich weiß nicht was nahmen, fragte ich mich, ob der Mann, der irgendwas auf Griechisch schrie, wohl der Inhaber war. Und ob dieser bereits zu seinem griechischen Telefon gegriffen hatte, um die griechische Polizei zu rufen. Wenn die drei Dummköpfe doch nur auf mich gewartet hätten! Dann hätte ich alles ganz anders gemacht, und zwar viel raffinierter. Doch so verließen wir den Laden und hatten gerade mal sieben Schritte auf dem Gehweg zurückgelegt – umgeben von Kindern, denen das Eis auf die Finger tropfte, von älteren Damen in silbernen Sandalen und von anderen schockierten Passanten (wobei ich bezweifle, dass Jungen in Unterhosen wirklich so ein schockierender Anblick sind) –, als uns auch schon genau wie im Film ein

Polizeiauto den Weg abschnitt. Drei riesige Polizisten stiegen aus.

Ich hatte die Szene mit dem Polizeiauto noch gar nicht verdaut, als ich auch schon neben Hussein Alì auf dem Rücksitz saß.

Den anderen war es anscheinend gelungen abzuhauen.

Pakistani?

Nein.

Afghanen?

Nein.

Afghanen, da bin ich mir sicher. Verarschen kann ich mich auch alleine.

No afghans, no.

Von wegen *no afghans no. Afghans yes,* ihr kleinen Ratten! Ihr seid Afghanen, das rieche ich schon von Weitem.

Sie schleppten uns aufs Polizeirevier und sperrten uns in einen kleinen Raum. Wir hörten Schritte auf dem Flur und Stimmen, die etwas sagten, das wir nicht verstanden. Ich weiß noch, dass ich mich weniger vor Schlägen oder dem Gefängnis, sondern hauptsächlich davor fürchtete, dass sie unsere Fingerabdrücke nehmen würden. Von den Fingerabdrücken hatten mir einige Jungen erzählt, die in der Steinfabrik im Iran arbeiteten. In Griechenland, so erzählten sie, nehmen sie sofort deine Fingerabdrücke, wenn sie dich erwischt haben. Und danach bist du als Illegaler erledigt, denn dann kannst du in keinem anderen Land Europas mehr um Asyl bitten.

Also beschlossen Hussein Alì und ich, ihnen so richtig auf die Nerven zu gehen, damit sie uns davonjagten, bevor unsere Fingerabdrücke genommen wurden. Aber um davongejagt zu werden, muss man die Leute wirklich nerven können. Als Erstes begannen wir laut zu heulen und zu jammern, von wegen, wir hätten Bauchweh vor lauter Hunger. Daraufhin brachten uns die Polizisten trockene Kekse. Dann jammerten wir, dass wir aufs Klo müssten. Toilette, Toilette!, riefen wir. Anschließend weinten, schrien und zeterten wir, bis es Nacht wurde. Nachts haben die Polizisten weniger Geduld, und wenn man Pech hat, wird man blutig geprügelt. Aber wenn man Glück hat, lassen sie einen laufen.

Wir gingen das Risiko ein und hatten Glück.

Es war schon fast Morgen, aber immer noch dunkel, als zwei Polizisten, die unser Geschrei satthatten, die Tür aufrissen und uns an den Ohren vors Revier zerrten. Wir sollten gefälligst dahin zurückkehren, wo wir hergekommen waren, riefen sie uns nach.

Der ganze Vormittag ging mit der Suche nach Soltan und Rahmat drauf. Wir fanden sie am Strand, außerhalb des Ortes. Aber als ich sie sah, konnte ich mich kaum freuen, weil ich mich gleich so darüber aufregte, dass sie es in der Zwischenzeit nicht geschafft hatten, irgendwas zum Anziehen aufzutreiben – kurze Hosen, T-Shirts, was weiß denn ich, ein Paar Schuhe vielleicht –, aber nichts da, von wegen!

Etwas hatte ich auf dem Revier allerdings doch getan (als Illegaler muss man wirklich jede Gelegenheit nutzen):

Ich hatte mir die große an der Wand hängende Karte von der Insel genau angesehen. Der Ort, in dem wir uns befanden, war rot markiert und Mytilini blau. Von Mytilini aus schiffte man sich nach Athen ein. In einem Tagesmarsch über Felder und Landstraßen konnten wir es trotz unserer schmerzenden Füße vielleicht bis dorthin schaffen.

Wir kamen an eine Straße. Es herrschte eine Hitze wie im Backofen, wir schwitzten schon im Stehen. Soltan beschwerte sich – und Hussein Alì war anscheinend die Puste ausgegangen, denn sonst hätte er sich bestimmt ebenfalls beklagt. Stattdessen stellte er sich immer wieder halbnackt an die Straße und hielt den Daumen raus. Ich zog ihn weg und sagte, was machst du da? Die rufen bloß wieder die Polizei! Aber er hörte nicht auf mich.

Bleib stehen, ich flehe dich an!, sagte er. Warten wir, bis uns jemand mitnimmt.

Wenn du so weitermachst, nimmt dich die Polizei mit, entgegnete ich. Du wirst schon sehen!

Ich wollte den Teufel wirklich nicht an die Wand malen, im Gegenteil! Es lag in meinem ureigensten Interesse, gemeinsam weiterzureisen, damit wir uns gegenseitig helfen konnten. Aber sie hatten es sich nun mal in den Kopf gesetzt, dass sie müde waren. Sie wollten sich lieber von einem Transporter mitnehmen lassen, so dass ich mich irgendwann absonderte und vorausging.

Am Straßenrand gab es einen kleinen Laden und eine Tankstelle, rechts davon eine verrostete alte Telefonzelle, die mehr oder weniger von den Zweigen eines Baumes verdeckt wurde. Ich betrat sie, griff nach dem Hörer und tat so, als würde ich telefonieren, wobei ich meine Gefährten nicht aus den Augen ließ.

Als das Polizeiauto kam – mit Blaulicht, aber ohne Sirene –, überlegte ich kurz, die Telefonzelle zu verlassen und haut ab, haut ab! zu rufen. Aber ich war einfach nicht schnell genug. Ich duckte mich und musste mitansehen, wie die Jungs losrannten, eingeholt, festgenommen und mit Schlagstöcken traktiert wurden. Ich kniete vollkommen hilflos in meinem Versteck und starrte durch die schmutzigen Scheiben. Ich konnte nur beten, dass niemand auf die Idee käme zu telefonieren.

Gleich nachdem das Polizeiauto mit quietschenden Reifen verschwunden war, verließ ich die Telefonzelle. Hinter der Tankstelle bog ich rechts ab, allerdings nicht ohne mich vorher zu versichern, dass da niemand war. Keuchend rannte ich einen sandigen, verlassenen Feldweg entlang. Ich rannte und rannte, ohne zu wissen, wohin – so lange, bis meine Lunge brannte und ich mich auf dem Boden ausstreckte, um wieder zu Atem zu kommen. Anschließend rappelte ich mich wieder auf und setzte meinen Weg fort. Nach einer halben Stunde führte der Feldweg an einem Hof vorbei. Er gehörte zu einem Haus, das von einer niedrigen Mauer umgeben war, und in der Mitte des Hofes stand ein großer Baum. Ich konnte niemanden entdecken und kletterte über die Mauer. Da war ein Hund, aber er war angebunden. Als er mich bemerkte, begann er zu bellen, woraufhin ich mich hinter einem dicken Zweig versteckte.

Ich muss müde gewesen sein, denn ich schlief ein.

Na, und ob du müde warst, Enaiat!

Aber es war nicht allein die Müdigkeit. Dieser Ort hatte so was Beruhigendes.

Was denn?

Das kann ich dir nicht erklären. Manche Dinge spürt man einfach.

Irgendwann kam dann diese alte Dame, die dort wohnte. Sie weckte mich, aber ganz sanft. Ich sprang blitzschnell auf und wollte schon davonlaufen, als sie mir ein Zeichen gab, ihr ins Haus zu folgen. Sie gab mir etwas Leckeres zu essen, Gemüse und noch etwas, an das ich mich nicht mehr erinnere. Sie ließ mich duschen. Sie gab mir richtig gute Kleider: ein blau gestreiftes Hemd, Jeans und ein Paar weiße Turnschuhe. Es war unglaublich, dass sie solche Sachen zu Hause hatte, genau in meiner Größe. Keine Ahnung, wem die gehörten, wahrscheinlich einem Enkel.

Sie redete sehr viel, diese Dame, und zwar ohne Punkt und Komma. Auf Griechisch und auf Englisch, wovon ich allerdings kaum etwas verstand. Wenn ich sah, dass sie lächelte, sagte ich: *Good, good.* Wenn sie ein ernstes Gesicht machte, machte ich ebenfalls ein ernstes Gesicht und sagte mit wildem Kopfschütteln: *No, no.*

Nachdem ich geduscht hatte, brachte mich die alte Dame zum Busbahnhof. Sie kaufte mir höchstpersönlich eine Fahrkarte, gab mir fünfzig Euro, verabschiedete sich und ging. Ich weiß noch, wie ich dachte, dass es enorm gute Menschen gibt.

Da, schon wieder!

Was denn?

Du erzählst etwas, wechselst dann aber plötzlich das Thema. Erzähl mir mehr von dieser Frau, Enaiat. Beschreibe mir ihr Haus.

Warum?

Weil es mich interessiert und andere vielleicht auch.

Ja, aber das habe ich dir doch schon erzählt. Mich interessiert nur, was sie getan hat. Wie sie heißt oder wie ihr Haus eingerichtet war, ist dabei völlig nebensächlich. Jeder könnte sie sein.

Inwiefern?

Jeder, der sich so verhält.

So unglaublich das auch klingen mag, aber so bin ich nach Mytilini gekommen. Mytilini ist eine große Stadt mit vielen Einwohnern, Touristen, Geschäften und Autos. Ich fragte nach der Straße zum *ship station* beziehungsweise nach dem Hafen, wo die Fähren nach Athen abgehen. Die Leute antworteten mir wie immer mit Worten, aber ich achtete vor allem auf ihre Gesten.

Hier entlang, hier entlang.

Als ich zum Hafen kam, begegnete ich jeder Menge anderer afghanischer Jungen, die sich dort schon seit Tagen herumtrieben und versuchten, eine Fahrkarte zu kaufen. Bei jedem Versuch wurden sie fortgejagt, denn man sah sofort, dass sie keine normalen Reisenden, sondern Illegale waren. Das entmutigte mich ein wenig. Wie lange würde ich warten müssen?

Doch es kam ganz anders.

Vielleicht lag es an meiner Kleidung, daran, dass ich frisch geduscht war. Vielleicht auch daran, dass ich satt und zufrieden war und auch so aussah – auf jeden Fall sagte die junge Frau hinter dem Schalter, nachdem ich eine Fahrkarte verlangt hatte: Achtunddreißig Euro. Ich konnte mein Glück kaum fassen und sagte: *repeat,* woraufhin sie wiederholte: Achtunddreißig Euro.

Ich steckte den Fünfzigeuroschein der alten Dame durch den Schlitz. Die junge Frau hinter dem Schalter, die noch dazu sehr hübsch war – große Augen und gut geschminkt –, nahm ihn und gab mir zwölf Euro zurück. Ich bedankte mich mit einem ungläubigen *thank you* und ging hinaus.

Wie die anderen staunten, als sie mich mit der Fahrkarte sahen! Alle scharten sich um mich und wollten wissen, wie ich das geschafft hatte. Manche wollten mir tatsächlich nicht glauben, dass ich sie selbst gekauft hatte, und behaupteten, ich hätte sie mir von einem Touristen kaufen lassen, so touristisch wie ich aussah. Aber dem war nicht so.

Wie hast du das geschafft?, fragten sie.

Ich habe einfach eine Fahrkarte verlangt, erwiderte ich. Ganz normal am Schalter.

Die Fähre war riesig, fünf Stockwerke hoch. Ich ging bis nach ganz oben, um eine bessere Aussicht zu haben. Ich genoss es mit jeder Faser meines Körpers, bequem und entspannt in einem Sessel zu sitzen, statt in einem Schlauchboot oder im Hohlraum eines Lasters zu knien, als ich plötzlich Nasenbluten bekam. Das war das erste Mal in meinem Leben, dass ich Nasenbluten hatte.

Ich rannte auf die Toilette, um mir das Gesicht zu waschen. Ich hielt den Kopf unter den Hahn, während das Blut nur so tropfte. Auf einmal hatte ich das Gefühl, dass mit dem Blut auch sämtliche Erschöpfung, der Wüstensand, der Straßenstaub, der Schnee aus den Bergen, das Salz des Meeres, der Löschkalk aus Isfahan, die Steine aus Qom und der Kloakenschlamm aus Quetta aus mir herausflossen. Als ich aufhörte zu bluten, ging es mir hervorragend, so gut wie noch nie in meinem Leben. Ich trocknete mir das Gesicht ab.

Als ich mich nach einem neuen Sitzplatz umsah – nach wie vor im fünften Stock, den Horizont fest im Blick –, kam ich an einer Reihe besetzter Bänke vorbei. Ich wich einem spielenden Mädchen aus und rempelte das Knie eines Jungen an. Entschuldigung, sagte ich und sah ihn flüchtig an. Ich wollte mich schon umdrehen und weitergehen, als ich stehen blieb und genauer hinsah. Das ist doch nicht möglich!, dachte ich.

Jamal.

Er hob das Kinn: Enaiatollah.

Jamal hatte ich im Iran, in Qom, kennengelernt, bei einem der Fußballturniere zwischen den Fabriken. Wir umarmten uns.

Ich habe dich vorhin gar nicht gesehen, sagte er. Vorhin, am Hafen.

Ich bin gerade erst angekommen.

Aber ich habe dich auch nicht in Mytilini gesehen.

Ich bin erst gestern auf die Insel gekommen.

Das kann nicht sein!

Ich schwör's.

Wie denn?

Mit dem Schlauchboot. Aus Ayvalik.

Das kann nicht sein!

Ich schwör's.

Gestern bist du noch im Schlauchboot gesessen, und heute bist du schon auf der Fähre?

Ich habe wahrscheinlich Glück gehabt. Quatsch, ich habe wirklich Glück gehabt!

Wir setzten uns nebeneinander und unterhielten uns während der gesamten Überfahrt. Er hatte vier Tage in Mytilini verbracht, ohne dass es ihm gelungen war, sich eine Fahrkarte nach Athen zu beschaffen. Schließlich hatte er jemandem, der gut Englisch sprach, achtzig Euro gegeben, damit er sie für ihn kaufte. Aber das Schlimmste war, dass ihn die Polizei irgendwann geschnappt und dabei leider seine Fingerabdrücke genommen hatte.

Am nächsten Morgen erreichten wir Athen. Einige Passagiere rannten in den Bauch der Fähre, um ihre Autos zu holen, andere umarmten Verwandte auf der letzten Treppenstufe, und wieder andere luden Koffer in Taxis und fädelten sich in den Verkehr ein. Am Hafen herrschte ein großes Hallo und überschwängliches Schulterklopfen. Jamal und ich wurden von niemandem erwartet und wussten nicht, wohin. Aber das bedrückte uns nicht weiter. Es ist nur komisch, lauter entspannte, gut gelaunte, selbstbewusste Menschen zu sehen, wenn man sich selbst völlig verloren vorkommt. Aber so ist das nun mal.

Lass uns was frühstücken!, sagte Jamal. Trinken wir einen Kaffee.

Ich besaß noch die zwölf Euro Wechselgeld, und auch er hatte noch etwas Kleingeld. Im Café, das wir schließlich betraten, reichte man uns zwei riesige Becher mit Filterkaffee, der mit dem Strohhalm getrunken wurde. Ich nahm einen Schluck, aber er schmeckte widerlich. Den trink ich nicht!, sagte ich.

Dann trink ihn halt nicht, sagte Jamal. Aber behalte ihn in der Hand.

In der Hand?

So wie die Touristen. Wir gehen mit den Bechern in der Hand spazieren, denn so machen es die Touristen.

Es war Nachmittag, als wir uns in die Stadt hineinwagten. Wir nahmen die U-Bahn. Alle vier Stationen stiegen wir aus und sahen nach, wo wir uns befanden. Dann gingen wir wieder nach unten und fuhren in dieselbe Richtung weiter. Nach dreimaligem Rauf und Runter kamen wir an die Oberfläche und entdeckten einen großen Park mit vielen Leuten. Es gab ein Konzert, ein Freiluftkonzert. Es fand im Dikastirion-Park statt, wenn ich mich richtig erinnere.

Wenn man nicht weiß, was man tun soll, mischt man sich am besten unter die Leute. Und dazu gehörten auch welche, die Afghanisch sprachen. Wir folgten ihren Stimmen und fanden eine Gruppe mehr oder weniger gleichaltriger Jungen, manche waren auch schon etwas älter: Sie spielten Fußball. Hier nur ein Tipp: Wer jemals als Illegaler leben muss, sollte sich einen Park suchen, denn dort entdeckt man immer etwas Tolles.

Als es Abend wurde, warteten wir, dass die Jungen nach Hause gingen. Wir hatten vor, sie um ihre Gastfreundschaft und um etwas zu essen zu bitten, denn beim Fußballspielen hatten wir uns angefreundet. Aber bei Einbruch der Dunkelheit sahen wir, wie einer von ihnen unter einen Baum kroch und einen Pappkarton herauszog. Ein anderer tat genau dasselbe und anschließend noch ein anderer. Tja, ihr Zuhause war der Park. Aber wir hatten Hunger, wie das eben so ist, wenn man seit Stunden nichts gegessen hat.

Gibt es hier irgendwo ein afghanisches Restaurant, wo man uns vielleicht Essen schenkt?, fragten wir.

Hört mal, wir sind hier nicht in Kabul! Wir sind in Griechenland. In Athen.

Trotzdem, danke.

Der Park war ihr Zuhause, und er wurde auch unser Zuhause. Morgens standen wir schon sehr früh auf, so gegen fünf. Jemand erzählte uns von einer Kirche, wo man Frühstück bekam. Wir gingen hin, und ich nahm mir Brot und Joghurt. Fürs Mittagessen gab es eine andere Kirche. Aber dort hatten die Priester Bibeln in allen Sprachen ausgelegt – auch in der meinen –, und zwar so, dass man sie sofort sah, direkt neben dem Eingang. Vor dem Essen musste man eine Seite daraus lesen, sonst gaben sie einem nichts.

Bevor ich mich zwingen lasse, in der Bibel zu lesen, bloß

um etwas zu essen zu bekommen, verhungere ich lieber, dachte ich in einer Aufwallung von Stolz.

Nur dass sich mein Magen nach einer Weile deutlich bemerkbar machte, deutlicher als mein Stolz. Dieser verdammte Hunger! Ich lief eine halbe Stunde auf und ab und bemühte mich, der Versuchung zu widerstehen – so lange, bis ich das Gefühl hatte, mir würde der Bauchnabel mit einem Flaschenöffner geöffnet. Da trat ich näher und tat so, als würde ich lesen. Ich blieb vor der Bibel in meiner Sprache stehen und starrte so lange auf eine Seite, wie ich es für angemessen hielt. Ich sorgte dafür, dass ich dabei gesehen wurde. Anschließend betrat auch ich das Gemeindehaus.

Ich aß Brot und Joghurt, genau wie beim Frühstück.

Ihr habt ganz schön Glück gehabt, gestern Abend, sagte mein Nachbar.

Jamal versuchte von den Priestern oder Mönchen noch ein Stück Brot zu ergattern, während ich meinen Joghurtbecher ausleckte.

Wieso?, fragte ich.

Weil nichts passiert ist.

Ich hörte auf zu lecken. Wie meinst du das?

Weil keine Polizei kam, zum Beispiel. Manchmal kommt die Polizei und nimmt alle mit.

Sie verhaftet sie?

Nein, sie nehmen uns nur mit und traktieren uns mit Fußtritten. Sie zwingen uns, uns einen anderen Platz zu suchen.

Wo?

Wo wir wollen. Damit will man uns nur das Leben schwermachen.

Aha.

Aber die Polizisten sind noch nicht alles!, setzte der Junge nach.

Was denn noch?

Schlimm sind auch die Männer, die mit Jungen mitgehen.

Wohin denn?

Männer, die auf kleine Jungen stehen.

Echt?

Ja.

Abends suchten Jamal und ich die dunkelste und entlegenste Ecke des ganzen Parks auf, um einen möglichst sicheren Schlafplatz zu haben. Auch wenn es nur wenig Sicherheit gibt, wenn man in einem Park übernachten muss.

Aber das Verrückteste, was ich in jenem Athener Sommer erlebte, im vierten Sommer, nachdem ich mein afghanisches Heimatdorf Nawa verlassen hatte, war die Olympiade beziehungsweise die achtundzwanzigsten Olympischen Spiele: *Athens 2004*. Mein Glück und das aller anderen Illegalen, die sich damals in Athen aufhielten, bestand darin, dass viele Schwimmbäder, Straßen, Stadien, Sporthallen und so weiter bis kurz vor Beginn der Spiele noch nicht fertig waren. Deshalb gab es überall großen Bedarf an Schwarzarbeitern, und damit man sich nicht vor der ganzen Welt blamierte, wurden sie sogar von der Polizei in Ruhe gelassen.

Manchmal sind Migranten die reinste Geheimwaffe.

Ich wusste gar nicht, was das ist, eine Olympiade. Das erfuhr ich erst, als ich mit anderen afghanischen Jungen zu einem Platz ging, an dem man angeblich Arbeit finden konnte. Ein Auto nahm mich mit und brachte mich zum Olympiastadion. Dort sah ich, dass es mindestens zwei Monate Arbeit für mich gab, und zwar Tag für Tag, selbst samstags und sonntags. Die Arbeit war hervorragend organisiert und wurde altersgemäß verteilt. Ich musste beispielsweise bloß die Bäumchen halten, während andere Löcher aushoben, in die sie schließlich eingesetzt wurden. Abends wurde man bar bezahlt: fünfundvierzig Euro, für mich eine stolze Summe.

Ich weiß noch, wie sich eines Nachts im Park ein Mann neben Jamal setzte und begann, ihn ganz langsam zu streicheln. Es war ein bärtiger Grieche mit einem grellbunten Hemd. Da versetzte mir Jamal einen Tritt gegen das Schienbein, um mich zu wecken (wir schliefen nebeneinander, um uns gegenseitig zu beschützen). Hör mal, Ena, sagte er. Da ist einer, der mich streichelt.

Wie meinst du das?, fragte ich.

Keine Ahnung. Er streichelt mich, aber ich verstehe nicht, warum.

Belästigt er dich?

Nein, er streichelt mich nur. Er streicht mir übers Haar.

Da fiel mir wieder ein, was der Typ in der Mensa der orthodoxen Kirche erzählt hatte. Wir standen abrupt auf und rannten zu den Älteren. Der Mann mit dem Bart folgte uns, bis er die größeren Jungen sah und dass wir auf ihn zeigten. Da zuckte er nur mit den Achseln und verschwand.

Nach Beginn der Olympischen Spiele gab es keine Arbeit mehr, und wir liefen ganze Vor- und Nachmittage durch die Gegend, ohne zu wissen, was wir sonst tun sollten.

London, hieß es. Man muss nach London gehen. Nach Norwegen, wenn man das schafft. Oder nach Italien, warum auch nicht? Und wenn man nach Italien geht, muss man nach Rom gehen, und in Rom zum Ostiense-Bahnhof. Dort gibt es einen Park mit einer Pyramide, an der sich die Afghanen treffen. Außerdem lebte ein Junge, den ich kannte, in Italien. Einer aus meinem Heimatdorf, einer aus Nawa. Er hieß Payam. Ich wusste nicht, in welche Stadt er gegangen war, ja ich hatte nicht einmal eine Telefonnummer. Aber er war in Italien, und wenn er in Italien war, konnte ich ihn dort vielleicht ausfindig machen. Das würde nicht leicht sein, aber wer weiß.

Ich gehe weg, sagte ich eines Tages zu Jamal. Es waren noch zwei andere Freunde dabei, und wir aßen gerade ein Eis. Ich habe was gespart, sagte ich. Ich kann mir eine Fahrkarte bis nach Korinth oder Patras kaufen und dort versuchen, mich in einen Lastwagen zu schmuggeln.

Ich kenne einen Schlepper, der dir vielleicht helfen kann, sagte einer der Jungen.

Ehrlich?

Klar, sagte er. Aber vorher solltest du versuchen, politisches Asyl aus gesundheitlichen Gründen zu beantragen.

Was für politisches Asyl aus gesundheitlichen Gründen?

Ja, weißt du das denn nicht? Es gibt einen Ort, eine Notaufnahme, wo man dich behandelt, wenn du krank bist. Dort kann man sich untersuchen lassen. Und wenn etwas gefunden wird, das bei dir nicht in Ordnung ist, kannst du aus gesundheitlichen Gründen nicht mehr abgeschoben werden und bekommst eine Aufenthaltserlaubnis.

Gibt es diesen Ort wirklich? Warum hast du mir nie davon erzählt?

Na ja, weil man dort Spritzen bekommt, zum Beispiel. Nicht alle wollen sich untersuchen und Spritzen geben lassen. Aber wenn du ohnehin vorhast wegzugehen, ist das jetzt auch egal.

Kennst du jemanden, der so eine Aufenthaltserlaubnis bekommen hat? Kennst du so jemanden persönlich?

Ich? Ja, einen bengalischen Jungen. Er hat Glück gehabt. Vielleicht geht es dir genauso.

Na, gut.

Was?

Ich gehe hin, sagte ich. Erklär mir, wie ich dahinkomme.

Es war ein altes Gebäude mit bunten Fenstern, das überhaupt nicht so aussah wie eine Notaufnahme. Man musste im dritten Stock klingeln. Jamal und die anderen wollten unten auf mich warten, angeblich dauerte es mehrere Stunden. Ich klingelte, und man machte mir wortlos auf. Treppen.

Der Eingangsbereich sah tatsächlich aus wie der Wartesaal einer Notaufnahme. Es gab zwar weder einen Schalter noch eine Krankenschwester, die man etwas fragen konnte, aber dafür vier oder fünf Männer, die auf Stühlen saßen. Ein paar lasen Zeitschriften, andere starrten in die Luft. Ich setzte mich ebenfalls und wartete, bis ich an die Reihe käme.

Und plötzlich…

Plötzlich ging wie durch einen Windstoß eine der vier weißen Türen auf, und eine Frau huschte heraus. Sie war splitterfasernackt. Ich riss die Augen auf und schlug sie gleich darauf nieder. Am liebsten hätte ich sie mir in die Tasche gesteckt und das Feuer auf meinen Wangen gelöscht. Aber ihr Erscheinen hatte mich dermaßen überrumpelt, dass mir jede Geste, jede Bewegung, ja jeder Atemzug dumm und unpassend vorkam. Ich war wie gelähmt. Die nackte junge Frau ging ganz dicht an mir vorbei. Ich glaube, sie sah mich sogar aus den Augenwinkeln an und lächelte. Dann schlüpfte sie durch eine andere Tür und war verschwunden. Ein Mann stand auf und folgte ihr. Aber gleich darauf erschien noch eine. Nackt. Bis es ungefähr zehn waren, die kamen und gingen. Bis…

Bis was, Enaiat?

Bis ich aufstand und die Flucht ergriff. Ich nahm die Treppe, nahm sechs Stufen auf einmal und rannte so schnell aus dem Haus, dass ich beinahe unter einem Auto gelandet wäre. Ich hörte eine griechische Hupe und griechische Schreie, und da entdeckte ich auch schon die anderen samt

160

Jamal auf der gegenüberliegenden Straßenseite. Sie lachten. Sie hielten sich die Bäuche und konnten sich kaum noch halten vor lauter Lachen. Das war das erste und letzte Mal, dass ich in einem Bordell war, ich schwör's!

Ich blieb bis Mitte September in Athen. Eines Tages verabschiedete ich mich von Jamal und bestieg einen Zug nach Korinth. Es hieß, die Polizei von Patras wäre brutal. Manche kehrten mit gebrochenen Gliedmaßen oder Schlimmerem zurück. Von dort aus wäre die Überfahrt nach Italien zwar kürzer, aber auch unangenehmer – ohne jede Hygiene und inmitten von Ratten. Ich habe eine Riesenangst vor Ratten. In Korinth, hieß es, wäre die Polizei lockerer. Ich fand einen griechischen Schlepper, der Leute in Lastwagen versteckte. Aber wenn man einen Lastwagen nimmt, weiß man nie, wo man landet. Kann sein, dass man glaubt, nach Italien zu fahren, und sich stattdessen in Deutschland wiederfindet. Und wenn man richtig Pech hat, kehrt man in die Türkei zurück. Der Schlepper wollte vierhundertfünfzig Euro, aber das Geld hatte ich bei Jamal in Athen zurückgelassen.

Ich werde es dir nicht im Voraus geben, sagte ich. Wenn ich in Europa bin, rufe ich meinen Freund an, und der bringt es dir dann. Entweder so oder gar nicht.

Einverstanden, sagte er.

In Korinth muss man sich im Hafengebiet in einem Lastwagen verstecken. Im Anhänger inmitten von Waren oder zwischen den Rädern. In den darauffolgenden Wochen versteckte ich mich mehrmals, auch an sehr gefährlichen

Orten. Aber die Kontrolleure entdeckten mich jedes Mal. Die Kontrolleure von Korinth sind schlau, sie wissen ganz genau, wie das funktioniert. Sie kommen mit Taschenlampen und gucken zwischen die Kartons, Säcke oder unter die Anhänger. Sie inspizieren jeden Winkel, jede Lücke, denn dafür werden sie bezahlt. Sie haben sich ihr Gehalt wirklich bis auf den letzten Cent verdient. Wenn sie dich finden, verhaften sie dich nicht. Stattdessen zerren sie dich heraus und jagen dich davon. Manchmal nehmen sie Hunde zur Hilfe.

Und so war ich die Schlepper nach einer Weile leid, die ohnehin nichts für mich organisieren konnten, und beschloss, es auf eigene Faust zu versuchen. Jamal sollte das Geld behalten.

Ich zog an den Strand (am Strand kann man gut schlafen und außerdem duschen). Ich schloss mich einer Gruppe von Afghanen an, die ebenfalls davon träumten wegzugehen, und von da an war es wie ein Spiel: Immer wieder gingen wir zu dritt oder viert zum Hafen und versuchten, auf einen Laster zu klettern. Wenn schönes Wetter war und wir gute Laune hatten, versuchten wir es auch zehn-, elfmal hintereinander. Einmal ist es mir gelungen, aber der Laster schiffte sich nicht ein, sondern verließ sofort den Hafen. Wie gesagt, auch das kann passieren. Keine Ahnung, wo der hinwollte. Ich begann, gegen die Karosserie zu trommeln und gegen die Wände des Anhängers. Als wir etwa zwanzig bis dreißig Minuten von der Stadt entfernt waren, muss mich der Fahrer gehört haben. Er hielt an, stieg aus und machte mir auf. Mit einem Schraubenschlüssel in der

Hand. Als er sah, wie klein ich war, hat er mich nicht geschlagen (anders kann ich mir das nicht erklären). Er hat mir irgendeine Beleidigung an den Kopf geworfen, was ich gut verstehen kann, und mich laufen lassen.

Eines Abends sagte ich beim schönsten Sonnenuntergang zu den anderen am Strand: Ich versuch's noch mal.

Am Eingang zum Hafen standen drei übereinandergestapelte Lastwagenanhänger, die aussahen wie ein dreistöckiges Gebäude. Ich kletterte bis ganz nach oben und machte mich so klein wie möglich, um in eine Öffnung zu schlüpfen. Plötzlich griff ein Kran nach dem Gebäude. Ich hielt die Luft an. Das Gebäude bewegte sich und wurde ins Schiff gehoben. Eine Stunde später schloss es die Ladeluken. Ich platzte schier vor Freude. Ich hätte schreien können vor Glück, aber das wäre keine gute Idee gewesen. Außerdem war es stockdunkel, und ich wusste nicht, wohin es ging. Ich hatte weder etwas zu trinken noch etwas zu essen dabei, also beruhigte ich mich schnell wieder und begriff, dass man erst einmal bis zum Ende durchhalten muss, bis man wirklich behaupten kann, es geschafft zu haben.

Drei Tage war ich im Bauch des Schiffes eingeschlossen. Ich hörte unbeschreiblichen Lärm, ein Brodeln und Brüllen und jede Menge andere Geräusche. Dann kam das Schiff zum Stehen. Ich hörte, wie der Anker heruntergelassen wurde, ein wirklich unverwechselbares Geräusch. Da fragte ich mich, wo ich wohl gelandet war.

Italien

Noch durfte ich nicht aufstehen, mich nicht bewegen: ruhig bleiben, möglichst nicht einmal atmen, warten. Geduld haben, denn das kann einem das Leben retten.

Nachdem der Lastwagen den Hafen verlassen hatte – was mehr als eine Viertel-, aber keine halbe Stunde dauerte –, wurde er langsamer und fuhr auf einen Hof, wo noch viele andere Laster, Motorräder und Anhänger standen. Meine Freunde in Griechenland hatten mir geraten, nicht gleich herauszuklettern, sondern zu warten, bis der Laster das Landesinnere welchen Landes auch immer erreicht hätte. Bis er weit genug von der Grenze entfernt wäre. Wenn der Fahrer dann eine Pause einlegte, zum Beispiel an einer Autobahnraststätte, sollte ich mich davonschleichen. Also blieb ich, wo ich war, und wartete, dass der Laster weiterfuhr. Ich rief mir die einzelnen Schritte wieder ins Gedächtnis, um geistesgegenwärtig reagieren zu können: herausspringen, auf den Zehenspitzen landen, sich falls nötig abrollen, um die Wucht des Aufpralls abzufedern, nach einem Fluchtweg Ausschau halten, losrennen, sich nicht umdrehen, sondern einfach immer weiterrennen. Doch es sollte anders kommen …

Wir fuhren nicht weiter. Stattdessen spürte ich eine Art Erdbeben. Ich lehnte mich hinaus. Ein riesiger Kran hatte den Anhänger gepackt, in dem ich steckte. Ich bekam Panik und dachte: Was jetzt? Was, wenn ich in einer Metallpresse lande? Ich beschloss, sofort auszusteigen, und ließ mich fallen.

Drei Männer arbeiteten in der Nähe des Krans. Obwohl ich mich seelisch darauf vorbereitet hatte, landete ich wie ein Sack Kartoffeln, denn meine Beine waren wie aus Holz und konnten den Sprung nicht abfedern. Beim Aufkommen stieß ich einen Schrei aus. Entweder wegen des Schreis oder weil sie nicht damit rechneten, dass ein Afghane vom Himmel fiel, bekamen die drei Männer einen Riesenschreck. Ein Hund – es gab nämlich auch einen Wachhund – suchte das Weite. Ich landete also ungelenk auf dem Asphalt und hielt sofort nach einem Fluchtweg Ausschau. Ich durfte mich von meinen Schmerzen nicht ablenken lassen. Ich sah, dass ein Teil des Zaunes, der den Hof von der Straße trennte, eingerissen war. Ich rannte auf allen vieren dorthin wie ein Tier. Ich schaffte es nicht, aufrecht zu gehen. Ich rechnete damit, dass man mich verfolgte, doch stattdessen schrie einer der jungen Männer im Arbeitsoverall: *Go, go!,* und zeigte auf die Landstraße. Niemand hat versucht, mich aufzuhalten.

Das erste Straßenschild, das ich sah, war blau.
Darauf stand: Venedig.

Eine ganze Weile folgte ich einer wenig befahrenen Straße. Plötzlich tauchten in der Ferne zwei Gestalten auf, die schnell näher kamen. Als sie mich erreichten, begriff ich, dass es sich um zwei Radfahrer handelte. Wegen meiner völlig verdreckten Kleider, meiner teerverschmierten Haare oder wegen meines Gesichts bremsten sie, als sie mich sahen, und hielten an. Sie fragten, ob alles in Ordnung sei, und ob ich etwas brauche – eine Geste, die mich unglaublich freute. Wir unterhielten uns auf Englisch, so gut es eben ging, und als der Erste sagte, er sei Franzose, sagte ich: Zidane. Und als der Zweite sagte, er sei Brasilianer, sagte ich: Ronaldinho. Mehr wusste ich nicht über ihre jeweilige Heimat, aber ich wollte ihnen zeigen, dass ich sie mochte. Sie fragten, woher ich komme. Aus Afghanistan, sagte ich, darauf sie: Taliban, Taliban. Das wussten sie über meine Heimat.

Einer von beiden – der Brasilianer, glaube ich – gab mir zwanzig Euro. Sie zeigten mir, in welche Richtung die nächste Stadt lag: Mestre. Ich winkte zum Abschied und setzte meinen Weg fort, bis ich an eine Bushaltestelle kam. Dort warteten zwei oder drei Personen, darunter auch ein Junge. Ich ging zu ihm und fragte: *Train station?*

Keine Ahnung, wer dieser Junge war, vielleicht ein Engel, aber er hat mir wirklich sehr geholfen. Komm mit!, sagte er und sorgte dafür, dass ich mit ihm in den Bus steigen konnte. Als wir in Venedig am Piazzale Roma ankamen, kaufte er mir ein *panino*, weil ich wohl so aussah, als hätte ich Hunger. Er brachte mich zu einer Kirche, wo er mir neue Kleider besorgte. Dort konnte ich mich auch waschen, damit die Leute sich nicht vor mir ekelten.

Und dann das wunderschöne Venedig, das mitten auf dem Wasser liegt! Meine Güte, dachte ich, ich bin im Paradies. Vielleicht ist ganz Italien so. *Rome, Rome!*, sagte ich zu dem Jungen. Da begriff er, dass ich nach Rom wollte, und brachte mich zum Bahnhof. Er kaufte mir sogar die Fahrkarte. Vielleicht ist er mit der griechischen alten Dame verwandt, dachte ich. Denn eine solche Freundlichkeit lernt man nur durch Vorbilder.

Ich wusste nicht, wie weit es von Venedig bis Rom ist und wie lange die Fahrt dauern würde. Ich wollte nicht zu weit fahren und war entsprechend aufgeregt. In Rom wusste ich, was ich zu tun hatte: Ich hatte die Anweisungen noch genau im Kopf. Ich musste das Bahnhofsgebäude verlassen und auf dem Vorplatz nach dem Bus mit der Nummer 175 suchen. Solche Informationen bekommt man sogar in Griechenland.

Mir gegenüber saß ein dicker Mann, der sofort sein Notebook aufklappte, um zu arbeiten. Bei jedem Halt, ja selbst, wenn der Zug nur seine Fahrt verlangsamte, beugte ich mich vor und sagte: *Please Rome, please Rome*. Aber wir hatten große Verständigungsprobleme, denn wenn ich *please Rome, please Rome* sagte, erwiderte er: *No rum, no rum*, weil ich *Rome* wie *rum* aussprach.

Weil ich ständig *please Rome, please Rome* sagte, fing der dicke Mann irgendwann an, wie am Spieß zu brüllen: *No rum!* Er stand auf und ging. Ich hatte Angst, dass er die Polizei holte. Stattdessen kehrte er wenige Minuten später mit einer Dose Cola zurück. Er knallte sie vor mich hin und sagte: *No rum.* Coca-Cola. *No rum. Drink. Drink.*

Ich verstand nicht genau, was los war, aber eine Cola

lehnt man nicht ab. Also öffnete ich die Dose, trank sie aus und dachte: Der Typ ist wirklich durchgeknallt! Erst regt er sich auf, und dann spendiert er mir was zu trinken. Als wir das nächste Mal hielten und ich immer noch an meiner Cola nippte, beugte ich mich ohne jedes Schuldbewusstsein aus dem Fenster und sagte: *Please Rome, please Rome.* Da verstand er und sagte: *Roma*, nicht *rum. Roma.*

Ich nickte.

Mit Händen und Füßen gab er mir zu verstehen, dass er ebenfalls nach Rom fahre und wir beide am Bahnhof – den er Termini nannte – aussteigen würden. Ich könne mich beruhigen, das sei die Endstation. Also stiegen wir in Rom gemeinsam aus. Am Gleis gab mir der dicke Mann die Hand und sagte: *Bye-bye. Bye-bye*, erwiderte ich, danach trennten sich unsere Wege.

Auf dem Bahnhofsvorplatz wimmelte es nur so von Menschen, Autos und Bussen. Ich klapperte alle Haltestellen ab, um die Nummer 175 zu finden. Ich wusste, dass ich an der Endstation aussteigen musste.

Als ich den Ostiense-Bahnhof erreichte, war es dunkel. Dort gab es einen Haufen Leute, die ihr Penner nennt und ich Bettler, aber keine Afghanen. Dann sah ich eine lange Menschenschlange vor einer Mauer, Afghanen waren auch dabei. Ich stellte mich mit ihnen an. Sie erklärten mir, dass sie aufs Essen warteten und dass es von Mönchen verteilt werde. Man bekomme auch Decken und Kartons, mit denen man sich einen Unterstand bauen könne, wenn man darum bitte.

Hast du Hunger?, fragte ein Mönch, als ich an der Reihe war.

Ich erriet die Bedeutung seiner Worte und nickte. Ich bekam zwei *panini* und zwei Äpfel.

Wie findet man einen Ort, an dem man sich weiterent-wickeln kann, Enaiat? Woran erkennt man ihn?

Daran, dass man nicht mehr weggehen will. Aber be-stimmt nicht daran, dass er perfekt wäre. So etwas wie einen perfekten Ort gibt es nicht. Aber es gibt Orte, an denen man wenigstens in Sicherheit ist.

Wenn du nicht in Italien geblieben, sondern weitergereist wärst – wo wärst du dann hingegangen?

Keine Ahnung. Nach Paris vielleicht.

Gibt es in Paris auch einen Ort wie den Ostiense-Bahn-hof?

Ja, ich glaube, es gibt so eine Brücke. Wie sie heißt, weiß ich nicht mehr, aber man kommt mit einem Bus hin. Ich wusste auch mal die Nummer des Busses, aber inzwischen habe ich sie zum Glück vergessen.

Ich musste mir schleunigst etwas einfallen lassen, denn wenn man Fahrkarten und so was bezahlen muss, wächst das Geld schließlich nicht nach wie eine Pflanze. In sol-chen Momenten hat man ganz merkwürdige Vorstellungen von der Zukunft – und meine Zukunft hieß Payam.

Von Payam wusste ich wie gesagt nur, dass er in Ita-lien war, aber nicht, wo. Und da Italien ziemlich viele Ein-wohner hat, musste ich mir etwas überlegen. Ich begann also, nach ihm zu suchen. Ich nannte allen seinen Namen, bis ich schließlich jemanden fand, der sagte, er habe einen Freund, der jetzt in England sei. Der habe mal von einem Jungen dieses Namens erzählt, mit dem er in einem Asylantenheim in Crotone, Kalabrien, gewesen sei. Natürlich konnte das auch ein ganz anderer Payam sein, denn an Namen hat man schließlich kein Exklusivrecht.

Wir riefen also diesen Freund in London an, der Arbeit in einer Bar gefunden hatte.

Ich habe eine Handynummer, die ich dir geben kann, sagte er.

Gut, erwiderte ich. Weißt du auch, wo er wohnt?

In Turin.

Ich notierte die Handynummer und wählte sie, ohne den Callshop auch nur zu verlassen.

Hallo?

Hallo, ich hätte gern mit Payam gesprochen.

Am Apparat. Und mit wem spreche ich?

Mit Enaiatollah Akbari. Aus Nawa.

Schweigen.

Hallo?, sagte ich.

Ja, ich bin noch dran.

Ich bin Enaiatollah Akbari. Aus Nawa.

Das habe ich schon verstanden, aber das kann gar nicht sein. Von wo aus rufst du an?

Aus Rom.

Das kann nicht sein.

Warum kann das nicht sein?

Wie kommst du nach Italien?

Wieso? Wie kommst *du* nach Italien?

Payam konnte einfach nicht fassen, dass ich es war. Er stellte mir Fangfragen zu unserem Dorf, zu meinen und seinen Verwandten. Ich konnte sie alle beantworten. Schließlich sagte er: Und was hast du jetzt vor?

Keine Ahnung.

Na, dann komm doch nach Turin!, sagte er.

Wir verabschiedeten uns, und ich ging zum Bahnhof, um einen Zug zu nehmen. Bei dieser Gelegenheit lernte ich mein erstes italienisches Wort, das weiß ich noch wie heute. Ich ließ mich von einem Afghanen begleiten, der schon eine Weile hier war und die Sprache gut genug beherrschte, um eine Fahrkarte kaufen und das richtige Gleis finden zu können. Er stieg mit mir ein, sah sich um und sprach eine sympathisch wirkende Frau an. Er muss in Turin aussteigen. *Scendere*, sagte er. Nur dass *scin* auf Iranisch Stein heißt. Das habe ich nie vergessen, und so schaffte ich es *scindere Torino*, *scindere Torino* zu sagen, ohne dass es zu einer solchen Verwirrung wie bei *Rome* kam.

Unterwegs fragte die Frau, ob sie jemanden bitten solle, mich am Bahnhof Porta Nuova abzuholen. Ich gab ihr Payams Nummer, und sie rief ihn an, um sich mit ihm abzustimmen. Sie sagte ihm, wann und wo wir ankämen. Alles ging gut. In Turin erkannten Payam und ich uns auf Anhieb – und das inmitten des Gewimmels von Gepäckwagen, Koffern und Kindern, die gerade von einem Schulausflug zurückkehrten: Als wir uns das letzte Mal gesehen hatten, war ich ungefähr neun gewesen, jetzt war ich um die fünfzehn. Payam war zwei, drei Jahre älter als ich, und unsere Stimmen kamen uns ganz fremd vor.

Payam war es auch, der mich zur Ausländerbehörde für unbegleitete Minderjährige brachte. Und zwar ohne mir überhaupt Zeit zu lassen, mich an die Form der Häuser und die kalte Temperatur zu gewöhnen (es war Mitte September). Ich spürte noch die Wärme seiner Umarmung, als er mich auch schon fragte, was ich jetzt vorhabe. Ich müsse jetzt eine Entscheidung treffen. Denn wer keine Aufenthaltserlaubnis besitze, könne sich Unentschiedenheit nicht leisten. Ich sah aus dem Fenster der Cafeteria, wo wir gerade einen Cappuccino tranken – ich kenne einen Ort, an dem es den besten Cappuccino überhaupt gibt, hatte er gesagt –, und musste an die beiden Italiener denken, die so nett zu mir gewesen waren: an den Jungen aus Venedig und die Frau im Zug. So nett, dass ich im selben Land leben wollte wie sie. Wenn alle Italiener so sind, dachte ich, kann ich auch hierbleiben. Ehrlich gesagt war ich es leid, ständig unterwegs zu sein. Also sagte ich zu Payam: Ich möchte in Italien bleiben. Gut, erwiderte er, lächelte, zahlte den Cappuccino, wobei er den Barista begrüßte, den er zu kennen schien, und brachte mich zur Ausländerbehörde für unbegleitete Minderjährige.

Die Sonne ging unter, und ein starker Wind fegte durch die Straßen. Als wir dort ankamen, war es schon spät, und die Behörde schloss gerade. Payam schilderte meine Lage, und als die Frau erklärte, dass sie keinen Platz für mich habe – weder hier noch anderswo – und dass ich eine Woche allein zurechtkommen müsse, bat er sie, kurz zu warten. Dann wandte er sich an mich und wiederholte Wort für Wort, was sie gesagt hatte. Ich zuckte die Achseln. Wir bedankten uns und gingen.

Auch er lebte in einem Asylantenheim und konnte mich nicht bei sich aufnehmen.

Ich kann in einem Park schlafen, sagte ich.

Ich will nicht, dass du in einem Park schläfst, Enaiat. Ich habe einen Freund, der außerhalb von Turin wohnt. Ich werde ihn bitten, dich aufzunehmen. Und so rief Payam seinen Freund an, der sofort einverstanden war. Gemeinsam gingen wir zum Busbahnhof, und Payam beschwor mich, nicht auszusteigen, bis sich jemand zu mir hineinbeugen und mich bitten würde, ihm zu folgen. Ich gehorchte. Nach einer Stunde Fahrt tauchte an einer Haltestelle der Kopf eines Afghanen in der Bustür auf. Er gab mir ein Zeichen, dass ich angekommen sei.

Ich ging mit ihm nach Hause, aber nach drei Tagen sagte er mir aus irgendeinem unerfindlichen Grund, dass es ihm furchtbar leid tue, aber er könne mich nicht länger beherbergen. Ich sei illegal, auch wenn ich mich freiwillig bei der Ausländerbehörde für unbegleitete Minderjährige gemeldet habe. Und wenn die Polizei mich bei ihm finde, könne er seine Aufenthaltserlaubnis verlieren.

Natürlich sagte ich, er solle sich keine Sorgen machen, ich hätte nicht vor, ihn in Schwierigkeiten zu bringen. Ich habe so lange in Parks geschlafen, sagte ich, dass es auf die eine oder andere Nacht auch nicht mehr ankommt.

Aber als Payam davon erfuhr, sagte er erneut: Nein, ich

will nicht, dass du im Park schläfst. Vorher möchte ich noch jemand anderen um Hilfe bitten.

Dieser Jemand war Danila, eine Italienerin, die als Sozialarbeiterin bei der Stadt angestellt war. Soweit ich weiß, hat sie ebenfalls versucht, mit der Ausländerbehörde für unbegleitete Minderjährige zu reden, aber anscheinend gab es nicht einmal eine Besenkammer für mich. Also sagte Danila zu Payam: Bring ihn zu mir.

Als wir uns trafen, erklärte mir Payam: Eine Familie nimmt dich bei sich auf.

Eine Familie?, sagte ich. Was soll das heißen, *eine Familie?*

Ein Vater, eine Mutter und Kinder.

Ich will nicht zu einer Familie.

Warum?

Ich weiß nicht, wie ich mich da verhalten soll. Da gehe ich nicht hin.

Warum? Wie sollst du dich da schon groß verhalten? Du musst nur nett sein.

Dort störe ich bestimmt.

Nein, glaub mir, ich kenne die Leute gut.

Payam ließ nicht locker und redete sich heiser – so wie man das eben tut, wenn man jemanden gern hat oder sich für ihn verantwortlich fühlt. Er wollte absolut nichts davon wissen, dass ich allein auf irgendeiner Parkbank schlief. Also gab ich ihm zuliebe schließlich nach.

Die Familie wohnte außerhalb von Turin in einem Haus auf dem Land. Kaum dass wir aus dem Auto gestiegen waren – Danila hatte uns von der Bushaltestelle abgeholt –, sah ich mich von drei Hunden umgeben. Hunde sind meine Lieblingstiere, so dass ich dachte: Das könnte klappen.

Der Vater hieß Marco, und ihn kann ich – anders als meinen, den ich nur *Vater* genannt habe – bei seinem Vornamen nennen. Die Mutter hieß Danila, und auch sie sowie die Söhne Matteo und Francesco kann ich problemlos bei ihren Vornamen nennen. Das sind keine Namen, die mich traurig machen, im Gegenteil!

Ich hatte das Haus kaum betreten, als ich auch schon große Pantoffeln bekam, die aussahen wie Kaninchen – mit Augen, Nase und allem Drum und Dran. Nachdem wir uns die Hände gewaschen hatten, aßen wir gemeinsam zu Abend, mit Messer, Gabel, Gläsern, Servietten und so. Ich hatte solche Angst, mich danebenzubenehmen, dass ich alle ihre Gesten nachahmte, ohne auch nur eine einzige auszulassen. Ich weiß noch, dass die Großmutter an jenem Abend auch dabei war. Sie saß kerzengerade da, wobei ihre Handgelenke auf der Tischplatte ruhten, und ich ahmte sie nach. Ich machte den Rücken steif und legte die Handgelenke auf die Tischplatte. Und da sie sich nach jedem Bissen mit der Serviette über den Mund wischte, wischte auch ich mir nach jedem Bissen mit der Serviette über den Mund. Ich weiß noch, dass Danila eine Vorspeise, ein Nudelgericht und eine Hauptspeise zubereitet hatte. Ich weiß noch, wie ich dachte: Meine Güte, essen die viel!

Nach dem Abendessen zeigten sie mir ein Zimmer: Darin stand nur ein einziges Bett, und es gehörte mir ganz allein. Danila ging nach oben und brachte mir einen Schlafanzug. Hier!, sagte sie. Aber ich wusste gar nicht, was das ist, ein Schlafanzug. Ich war es gewohnt, in den Kleidern zu schlafen, die ich am Leib trug. Ich zog die Strümpfe aus und legte sie unters Bett. Als mir Danila die Sachen gab, die ein Schlafanzug waren, legte ich auch die unters Bett. Marco brachte mir ein Handtuch und einen Bademantel. Matteo wollte mir Musik vorspielen, er wollte, dass ich mir seine Lieblingsplatten anhörte. Francesco hatte sich als Indianer verkleidet und rief mich, um mir seine Spielsachen zu zeigen. Alle versuchten, mir etwas zu sagen, aber ich verstand kein einziges Wort.

Als ich am nächsten Morgen aufwachte, war nur Francesco zu Hause, der noch jünger war als ich. Später erfuhr ich, dass ihn meine Anwesenheit beunruhigt und er sich gefragt hatte: Was der wohl anstellt? Ich dagegen fürchtete mich davor, mein Zimmer unter dem Dach zu verlassen, und kam erst herunter, als Francesco mich von der Treppe her rief und sagte, wenn ich wolle, könne ich frühstücken. Tatsächlich, auf dem Küchentisch standen Kekse, Pudding und Orangensaft. Unglaublich! Dieser Tag war einfach unglaublich, und die darauf folgenden waren es auch. Ich hätte ewig dort bleiben können. Denn wenn man merkt, dass man gut behandelt wird – und zwar auf eine ganz selbstverständliche, unaufdringliche Art –, möchte man gar nicht mehr weg.

Das einzige Problem war die Sprache. Aber als ich begriff, dass sich Danila und Marco für meine Geschichte interessierten, redete ich wie ein Wasserfall: Auf Englisch und auf Afghanisch, mit Händen und Füßen, mit Blicken und mit Gegenständen. Verstehen sie mich jetzt, oder verstehen sie mich nicht?, fragte ich mich jedes Mal. Immer mit der Ruhe, lautete die Antwort. Aber ich redete und redete.

Bis zu dem Tag, an dem ein Heimplatz frei wurde.

Ich ging zu Fuß dorthin.

Dort gibt es eine Iranerin, die für dich übersetzen wird, sagten sie.

Gut, danke.

An diesem Ort wirst du ungestört sein, sagten sie.

Gut, danke.

Möchtest du sonst noch irgendetwas wissen?

Lernen. Arbeiten.

Zuerst gehst du dorthin, und dann sehen wir weiter.

Aber dort gab es keine Iranerin, und ich war alles andere als ungestört: Stattdessen wurde ständig geschrien und gestritten. Außerdem war die Unterkunft eher ein Gefängnis als ein Heim. Direkt nach meiner Ankunft nahm man mir meinen Gürtel und den Geldbeutel mit meinem letzten bisschen Geld ab. Die Türen waren von außen verriegelt. Man durfte das Heim nicht verlassen – und das, wo ich mich in all den Jahren auf der Straße so an meine Freiheit gewöhnt hatte! Natürlich war ich dankbar für alles, immerhin war es dort sauber und warm, und zum Abendessen gab es Pasta und so. Aber ich wollte etwas arbeiten oder lernen – am liebsten lernen. Stattdessen vergingen zwei Monate – zwei Monate, in denen ich nicht das Geringste tun oder auch nur sagen konnte, da ich die

Sprache noch nicht beherrschte. Ich versuchte allerdings, sie aus Büchern zu lernen, die mir Marco und Danila geschenkt hatten. Mein einziger Zeitvertreib bestand darin, schweigend fernzusehen, zu schlafen und zu essen. Auch das schweigend.

Das Nichtstun lag mir ganz und gar nicht. Außerdem durfte ich keinerlei Besuch empfangen, nicht einmal von der Familie, die mich beherbergt hatte. Und so kam es, dass Danila und Marco nach zwei Monaten langsam nervös wurden. Sie kümmerten sich darum, dass mich Sergio, ein befreundeter Lehrer, der bereits im Heim bekannt war, an den Samstagnachmittagen abholen durfte. Dann sollte ich meine Freizeit (von der ich mehr als genug hatte) mit den Jungen eines interkulturellen Vereins verbringen.

Sergio kam und holte mich ab, und dieser erste Samstag war einfach herrlich: Als ich zu dem Verein kam, war Payam ebenfalls da. Er nahm mich bei der Hand und stellte mich allen vor. Danila war auch da. So hatte ich Gelegenheit, mit ihr zu reden und mich zu bedanken, ihr aber auch zu sagen, dass ich mich in dem Heim aus vielerlei Gründen nicht wohlfühlte. Dass ich nicht hergekommen sei, um nur zu essen, zu schlafen und fernzusehen. Ich wolle etwas lernen und arbeiten. Da sah mich Danila nachdenklich an. Doch damals sagte sie noch nichts. Als ich dann eine Woche später wieder zu dem Verein ging, nahm sie mich beiseite. Flüsternd und so, als sagte sie etwas äußerst Schwerwiegendes, fragte sie, ob ich gern bei ihr und ihrer Familie wohnen würde. Platz gebe es dort ja genug. Und wenn mir das Zimmer unterm Dach gefalle, könne ich es haben. Ich sagte, dass es mir nicht nur gefalle, sondern dass das wirklich fantastisch sei.

Also stellten sie einen entsprechenden Antrag. Nachdem die Formalitäten Tage später erledigt waren, holten sie mich ab. Sie erklärten mir, dass sie jetzt meine Pflegefamilie seien und dass ich von nun an ein Zuhause und eine Familie habe, sprich: drei Hunde, ein Zimmer, ja sogar einen Schrank für meine Kleider.

Dass wir uns auch gern haben würden, mussten sie nicht extra dazusagen.

So begann mein zweites Leben. Zumindest war das der erste Schritt. Denn jetzt, wo mich Marco und Danila bei sich aufgenommen hatten, musste ich alles dafür tun, dort auch bleiben zu dürfen und nicht aus Italien ausgewiesen zu werden. Das wiederum bedeutete, dass ich eine Anerkennung als politischer Flüchtling und eine Aufenthaltserlaubnis brauchte.

Das erste Problem war die Sprache. Ich sprach kaum Italienisch. Wir alle bemühten uns, damit ich es besser lernte. Ich konnte mit Mühe und Not lateinische Buchstaben lesen und verwechselte ständig die Null mit dem O. Auch die Aussprache war schwierig.

Vielleicht solltest du lieber einen Kurs machen, sagte Danila.

Schule?, fragte ich.

Ja, in einer Schule, erwiderte sie.

Ich hob den Daumen, zum Zeichen, dass ich mich freute. Dann dachte ich an die Schule in Quetta zurück, die ich immer aufgesucht hatte, um den Kindern beim Spielen zuzuhören. Vor lauter Begeisterung belegte ich gleich drei Kurse, aus Angst, dass einer nicht reichen könnte. Und so verließ ich morgens um acht mit Danila das Haus und vertrieb mir bis halb zehn die Zeit. Den ersten Kurs machte ich bei einer Turiner Bildungseinrichtung. Dann ging ich zu einer anderen Schule und besuchte den zweiten Kurs. Anschließend lief ich zu meinem interkulturellen Verein. Dort nahm ich am dritten Italienischkurs teil, woraufhin ich glücklich und erschöpft nach Hause zurückkehrte. Das dauerte ein halbes Jahr. Solange dolmetschte mein Freund Payam für mich, wenn ich allein nicht zurechtkam. Zum Beispiel, wenn mir jemand zu Hause etwas sagen wollte, das ich nicht verstand. Dann rief ich Payam an, und er übersetzte. Manchmal rief ihn auch Danila an, um zu fragen, was ich mir zum Abendessen wünschte. Dabei war das Essen mein geringstes Problem: Mir genügte es, satt zu werden.

Im Juni machte ich den Hauptschulabschluss, und zwar gegen den Rat meiner Lehrer, die meinten, das wäre noch zu früh. Aber die Zeit verstreicht nun mal nicht überall auf der Welt gleich schnell!

Im September schrieb ich mich an einer Berufsschule für soziale Berufe ein, wo ich mich sofort blamierte. Zumindest hatte ich das Gefühl. Manchmal merke ich es gar nicht, denn sonst würde ich es von vornherein vermeiden, damit sich niemand über mich lustig machen kann.

Einmal rief mich zum Beispiel die Lehrerin für Umwelt- und Gesundheitserziehung an die Tafel und fragte mich irgendwas mit Chemie und Mathe. Doch statt Zahlen standen Buchstaben da. Ich sagte, ich verstehe rein gar nichts. Sie erklärte es mir, aber ich sagte erneut, dass ich kein Wort davon verstehe.

Daraufhin wollte sie wissen, welche Schule ich besucht habe.

Ich sagte, ich habe keine Schule besucht.

Wie bitte?, erwiderte sie.

Ich sagte, dass ich ein halbes Jahr auf eine italienische Schule gegangen sei und dort den Hauptschulabschluss gemacht habe.

Und davor?, fragte sie.

Ich erklärte ihr, dass ich davor gar nichts gemacht habe. Dass ich zwar in meinem Dorf in Afghanistan zur Schule gegangen sei, bei meinem Lehrer, der nicht mehr lebte, mehr aber auch nicht.

Da regte sie sich sehr auf und ging zum Direktor, um sich zu beschweren. Ich hatte schon Angst, von der Schule zu fliegen, was wirklich eine Katastrophe gewesen wäre. Zum Glück schaltete sich ein anderer Lehrer ein und meinte, man müsse Geduld mit mir haben und einen Schritt nach dem anderen machen. Gesundheitserziehung und Psychologie könnten warten, dafür würden wir uns auf die anderen Fächer konzentrieren. Und da es an meiner Schule einen Jungen mit einer leichten Behinderung gab, der einen Hilfslehrer hatte, konnte ich ein paar Monate mit ihm lernen.

Ich weiß noch, dass ich mich im ersten Jahr sehr unwohl in meiner Klasse fühlte, weil ich so gern zur Schule ging. Für mich war das ein Privileg. Ich lernte wie ein Wahnsinniger, und wenn ich eine schlechte Note bekam, ging ich sofort zum Lehrer und fragte, wie ich die wieder ausbügeln könne. Den anderen ging das unglaublich auf die Nerven, und selbst die Jüngeren beschimpften mich als Streber.

Mit der Zeit wurde es besser. Ich schloss Freundschaften. Ich lernte, vieles mit anderen Augen zu sehen, so wie wenn man sich eine Brille mit getönten Gläsern aufsetzt. In Gesundheitserziehung staunte ich über das, was ich hörte, weil ich es mit meiner Vergangenheit verglich. Mit den Umständen, unter denen ich gelebt, und mit dem Essen, das ich damals gegessen hatte. Ich fragte mich, wie es sein konnte, dass ich überhaupt noch am Leben war.

Ich hatte mein zweites Jahr an der Fachoberschule beinahe hinter mir, als ich einen Brief bekam. Darin stand, dass ich mich in Rom bei jener Kommission vorstellen müsse, die über meine Anerkennung als politisch Verfolgter und meine Aufenthaltsgenehmigung entscheiden würde. Ich hatte dieses Schreiben bereits erwartet, weil ich in Turin einen afghanischen Jungen kennengelernt hatte, der kurz vor mir nach Italien gekommen war und ein ganz ähnliches Schicksal hatte. Alles, was ihm passierte, passierte früher oder später auch mir. Er hatte den Brief schon mehrere Monate vor mir bekommen, war nach Rom gefahren und hatte sich bei der Kommission vorgestellt. Die hatte entschieden, dass er kein politisch Verfolgter sei. Ich weiß noch, wie verzweifelt er nach seiner Rückkehr gewesen war. Ich konnte das einfach nicht verstehen: Warum hatte man ihm diesen Status verwehrt? Ich weiß noch, wie mein Freund die Hände vors Gesicht schlug und schluchzte, ohne dass Tränen kamen. Seine Schultern bebten: Wo soll ich denn jetzt hin?

Und so setzte ich mich eines Tages mit Marco und Danila in den Zug und fuhr dieselbe Strecke, die ich von Rom nach Turin genommen hatte, nur in entgegengesetzter Richtung. Wir meldeten uns pünktlich bei der Behörde, in einem Viertel, dessen Name mir jetzt nicht mehr einfällt, und mussten eine Zeit lang warten. Dann wurde mein Name aufgerufen, der laut durch den Flur hallte. Marco und Danila blieben sitzen, während ich den Raum betrat.

Setz dich, sagten sie.

Ich setzte mich.

Das ist dein Dolmetscher, sagten sie und zeigten auf einen jungen Mann neben der Tür.

Ich bedankte mich, sagte aber, dass ich auf ihn verzichten könne.

Du sprichst also gut Italienisch, sagten sie.

Ja, ich spreche ganz ordentlich, erwiderte ich. Aber das war noch nicht alles: Wenn man sich direkt miteinander unterhält, ist das viel emotionaler, auch wenn man nicht immer die richtigen Worte findet oder die Betonung falsch ist. Auf jeden Fall hat das, was man selbst sagt, mehr mit dem zu tun, was man eigentlich gemeint hat, als wenn es ein Dolmetscher sagt. Denn aus dem Mund eines Dolmetschers kommen keine Gefühle, sondern nur Wörter. Wir haben uns eine Dreiviertelstunde unterhalten. Ich erzählte ihnen alles, wirklich alles. Ich erzählte von Nawa, von meinem Vater und von meiner Mutter, von meiner Reise, von meiner ersten Nacht bei Marco und Danila in Turin. Ich erzählte ihnen von den Albträumen, die mich nachts quälten und aufwühlten – fast so, wie der Wind das Meer zwischen der Türkei und Griechenland aufgewühlt hatte. Ich erzählte ihnen, dass ich in diesen Albträumen stets auf der Flucht war und dabei oft aus dem Bett fiel oder mich aufsetzte, mir die Bettdecke um die Schultern legte, die Tür zum Hof öffnete und im Auto schlief, ohne es überhaupt zu bemerken. Oder dass ich meine Kleider ordentlich zusammenfaltete und mich anschließend in einer Ecke des Badezimmers ausstreckte. Ich erzählte ihnen, dass ich mir immer eine geschützte Ecke suchte, um schlafen zu können. Ich bin – wie heißt das noch? – ein Schlafwandler. Und nachdem ich ihnen all das erzählt hatte, sagte dieser Typ, der Kommissar, dass er trotzdem nicht verstehe, warum ich politisch verfolgt sei. So gefährlich sei es für Afghanen in Afghanistan doch auch wieder nicht – ich hätte genauso gut zu Hause bleiben können.

Da zog ich die Zeitung hervor, die erst wenige Tage zuvor erschienen war. Ich zeigte auf einen Artikel.

Die Schlagzeile lautete: *Afghanistan: Taliban-Kind schneidet einem Spion die Kehle durch.* In dem Artikel ging es um einen Jungen, der dabei gefilmt worden war, wie er einem Gefangenen die Kehle durchschnitt und dabei *Allah Akbar!* rief. Der Film diente den Taliban zu Propagandazwecken und wurde im pakistanischen Grenzgebiet gezeigt. In dem Video sah man einen Gefangenen, einen

Afghanen, der sich vor einer Gruppe Fanatiker, von denen viele noch nicht einmal volljährig waren, schuldig bekannte. Daraufhin ergriff der Henker das Wort, ein junger Bursche in einer Tarnjacke, die ihm mehrere Nummern zu groß war. Das ist ein amerikanischer Spion, sagte der mit einem Messer bewaffnete Bursche und hielt es in die Kamera. Solche Menschen verdienen den Tod. Dann hob jemand den Bart des Verurteilten, während die anderen *Allah Akbar! Allah Akbar!*, schrien, der Junge zustach und dem Mann die Kehle durchschnitt.

Ich zeigte auf den Artikel und sagte: Ich hätte dieser Junge sein können.

Dass ich als politisch Verfolgter anerkannt wurde, habe ich erst einige Tage später erfahren.

In meinem dritten Jahr auf der Fachoberschule versuchte ich, Kontakt zu meiner Mutter aufzunehmen. Ich hätte sie schon früher ausfindig machen können, aber erst, als ich meine Aufenthaltserlaubnis hatte und mich sicher fühlte, erlaubte ich es mir, wieder an meinen Bruder und meine Schwester zu denken. Lange hatte ich sie vollkommen aus meinem Gedächtnis gelöscht. Nicht weil ich kaltherzig gewesen wäre: Aber wer sich um andere kümmern will, muss erst einmal selbst mit sich im Reinen sein. Wie kann man lieben, wenn man sein eigenes Leben nicht liebt? Als ich begriff, dass es mir in Italien wirklich gut ging, rief ich einen meiner afghanischen Freunde in Qom an, der noch einen Vater in Quetta hatte. Ihn fragte ich, ob sein Vater vielleicht versuchen könnte, Kontakt zu meiner Familie in Afghanistan aufzunehmen.

Wenn es deinem Vater gelingt, meine Mutter, meinen Bruder und meine Schwester ausfindig zu machen, sagte ich, bezahle ich ihm den Aufwand natürlich und gebe ihm genügend Geld, dass er alle nach Quetta holen kann. Ich erklärte ihm auch, wie er sie finden könne und wo wir wohnten. Mein Freund im Iran sagte: Das ist zu kompliziert, ich gebe dir lieber die Telefonnummer von meinem Vater. Dann kannst du selbst in Pakistan anrufen.

Also rief ich seinen Vater an, der unheimlich nett war. Um das Geld solle ich mir mal keine Gedanken machen. Sollten meine Angehörigen, die genauso wenig wussten, ob ich noch am Leben war, wie ich es von ihnen wusste, noch in dem kleinen afghanischen Tal leben, betrachte er es als seine Pflicht, sie dort ausfindig zu machen. Ich sagte, dass ich ihm die Reise und seine Auslagen trotzdem bezahlen würde. Dass er das als seine Pflicht betrachte, sei ja gut und schön, aber Geld sei schließlich auch wichtig. Außerdem sei es eine gefährliche Reise in ein Kriegsgebiet.

Es verging einige Zeit. Ich hatte die Hoffnung fast schon aufgegeben, als ich eines Abends einen Anruf bekam. Die heisere Stimme des Vaters meines Freundes begrüßte mich, er klang ganz nah. Dann erzählte er mir, dass es schwierig gewesen sei, meine Angehörigen ausfindig zu machen, weil sie aus Nawa weggegangen und in ein Dorf auf der anderen Seite des Tals gezogen seien. Aber schließlich sei es ihm doch gelungen. Als er meiner Mutter gesagt habe, dass der Vorschlag, nach Quetta zu gehen, von mir stamme, habe sie ihm nicht geglaubt und sich geweigert mitzukommen. Er habe sich bemüht, sie trotzdem zu überzeugen.

Dann sagte er: Warte! Ich will dir jemanden geben. Meine Augen füllten sich mit Tränen, weil ich schon ahnte, wer das sein würde.

Mama, sagte ich.

Am anderen Ende war es still.

Mama, wiederholte ich.

Aus dem Hörer kam nur ein Seufzer, aber ein erleichterter, tränennasser Seufzer. Da begriff ich, dass sie ebenfalls weinte. Nach acht Jahren sprachen wir das erste Mal wieder miteinander, und diese tränennassen Seufzer waren alles, was sich Mutter und Sohn nach so langer Zeit sagen konnten. Wir schwiegen, bis die Verbindung unterbrochen wurde.

Damals erfuhr ich, dass sie noch am Leben war, und begriff vielleicht zum ersten Mal, dass auch ich noch am Leben war.

Keine Ahnung, wie ich das geschafft hatte, aber auch ich war noch am Leben.

Kurz nach seinem (vermutlich) einundzwanzigsten Geburts-
tag hat Enaiatollah seine Geschichte zu Ende erzählt. Sein
Geburtsdatum wurde vom Einwohnermeldeamt festgelegt:
Es ist der erste September. Er hat soeben erfahren, dass es im
Meer tatsächlich Krokodile gibt.

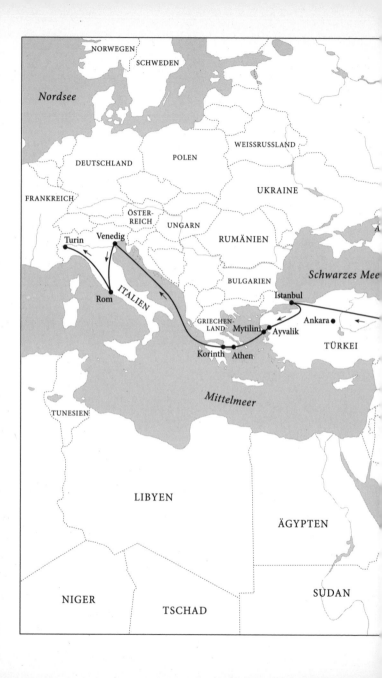

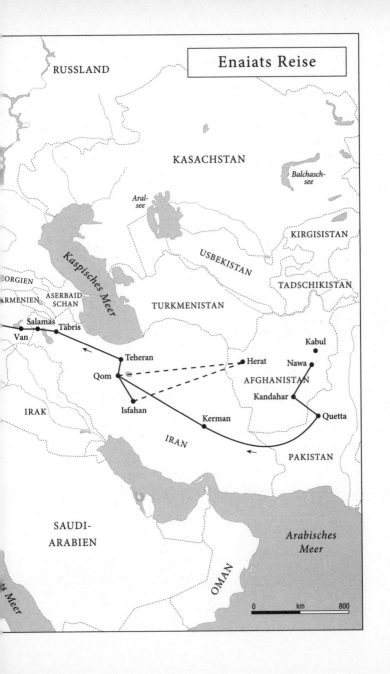

„Eine Liebeserklärung an den Lebensmut
eines Kindes, eine Abenteuergeschichte und
ein Blick in die Abgründe einer Gesellschaft,
in der Jungen wie Emil zwar zu Exilanten
und Verfolgten werden – aber nie aufgeben."
NDR Hörfunk

Emil ist erst 13 und hat doch schon mehr gesehen, als ein Kind je
sehen sollte. Ohne Papiere hat er sich mit seinem Vater von Rumä-
nien bis nach Italien durchgeschlagen. Doch als der ausgewiesen
wird, ist er ganz auf sich allein gestellt. Seine einzige Hoffnung: Er
muss seinen Großvater finden, den er nur aus Briefen kennt, und
der mit seiner Artistentruppe in Berlin gastiert. Mit einer Gruppe
schräger Jugendlicher – alle Außenseiter wie er selbst – macht er
sich auf die abenteuerliche Reise. Sie führt ihn quer durch Europa,
immer ein Stück dem eigenen Glück entgegen.

Fabio Geda
Emils wundersame Reise
Aus dem Italienischen
von Christiane Burkhardt
Roman, 256 Seiten
Gebunden mit SU
€ 17,99 [D]